本当のことを言ってはいけない

池田清彦

角川新書

目次

Ⅲ　市場原理と成果主義

Ⅳ　動植物散策

V　短絡的正義がもたらすもの

I　生と死の意味について

「物事にすべて意味がある」は妄想だ

意味という病

小学生の頃から昆虫採集と標本蒐集《しゅうしゅう》を続けているが、よく聞かれたのは「虫を集めてどうするんですか？」という質問である。ベトナムやラオスで虫を採っていると、子供ばかりか大人までも珍奇動物でも見るような眼をして集まってくる。ベトナムのタムダオといった有名採集地では、虫の標本は売れるということが分かっているので、現地の人が標本を持って売りつけに来る。だから彼らにとってみれば、虫を採るのは売るためだ。僕らが彼らの持ってきた虫を買うのは、もっと高く買ってくれる誰かに売るためだと思っているのだろう。では、最後に買った人は何のために虫を買ったのか。そこまでは思い至らないのかもしれない。昆虫蒐集という趣味は理解不能に違いない。

滅多に外国人が来ない田舎であれば、虫を採っていて不審そうな顔をされたら、虫をつまんで口の中に放り込むそぶりをすれば、にっこり笑って納得してくれる。食べるために虫を採るのは理解できるということなのだろう。人間は何であれ、行動に意味をつけなければ納得しない動物のようだ。働くのは金を稼ぐためであり、運動するのはダイエットのため、ボランティアは誰かに喜んでもらうためというわけだ。

翻って虫採りを鑑《かんが》みるに、虫採りは金を稼ぐためにするわけでも、やせるためにするわけでも、他人を喜ばせるためにするわけでも、ない。機能主義に頭の髄まで侵された人たちは無意味なことに耐えられないのだろう。ホモ・サピエンスがかかる最も普遍的かつ重篤なビョーキだ。

病が膏肓《こうこう》に入ると、死ぬことにさえ意味を求めなければ気が済まなくなるようで、国のために死ぬのは尊いなどと、バカなことを言うようになる。機能主義的に言えば、国というのは人々が生活しやすくなるための装置に過ぎないのだから、これは本末転倒であって、この議論が成り立つためには、機能主義を捨てて、国の存在自体が尊いということにしなければならない。しかし個人は実在するが国は幻想であるから、幻想より実在の方が大事だという普通の人の常識からすれば、人間社会にとって最も根源的な存在は個人である。そう考えれば、個人の存在に意味を求めるのは倒錯ということになる。

個人は何かの役に立つために生きているわけでもなければ、意味を求めて行動しているわけでもない。しかし、意味という病に頭を侵された人は、無意味な存在を許すことができず抹殺したくて仕方がなくなるようだ。昆虫蒐集が無意味だという妄想が高じると、趣味のための昆虫採集は禁止と言いたくなるようだし、寝たきり老人や認知症の人や知的障害者は生きていても無意味だと信じると、早く殺してしまえという話になるのだろう。

国家権力がこういう妄想に取り憑《つ》かれるとナチスになるし、個人が取り憑かれると「津《つ》久井《くい》やまゆり園」で2016年に起こった相模原《さがみはら》障害者施設殺傷事件になる。個人の妄想で殺されるのも、国家権力の妄想で殺されるのも、勘弁してもらいたいと思う。

「あるものはあり、あらぬものはない」

人間以外の生物は、何のために生きているかといった妄想とは無縁で、別に理由もなく生れ、子孫を残し(残さない奴もいるけど)、時が来れば死んでいく。生物が生きる目的は子孫を残すことだと、頑《かたく》なに信じている人もいるが、それはそう信じている人がそう思っているだけで、当の生物は何とも思っていないことは明らかだ。そう主張すると、野生生物自身は何も思っていなくても、自然選択の洗礼を潜り抜けて、子孫を残し続けた生物だけが存続しているのだから、野生生物は結果的にではあれ、子孫を残すために生きていると言っても過言ではない、と反論されるかもしれない。

　中には「この世の中に存在するものに無意味なものはありません」という言い方で、寝たきり老人や知的障害者の存在を擁護する人もいる。一見極めて人道的な言説のように見えるけれども、「無意味なものはありません」と言った時点で、無意味なものは価値がないというイデオロギーに取り込まれていると私は思う。私はなぜ、存在するものに意味がなければならないのか、それがそもそも分からない。存在するものは存在するだけで別にいいじゃねえか。「あるものはあり、あらぬものはない」という名言を吐いたのは古代ギリシャの哲人パルメニデスだ。あるものが気に入らないからといってなきものにしようというのは間違っている。パルメニデスはそこまでは言わなかったけれどね。

　アミメアリという日本で普通に見かけるアリは、通常巣を構成するすべての個体が単為生殖する働きアリ（２ｎのメス）で、卵を産むことだけに特化した女王アリはいない。稀《まれ》にｎのオスアリが現れるが、働きアリは交尾器が退化しているので、このオスは繁殖には全く関与できずにただうろうろして死ぬだけだ。子孫を残すためという観点からは無意味な存在だ。でも、意味があろうがなかろうが「あるものはある」のである。

アミメアリの巣の中には働かない働きアリもいて、これも単為生殖をしていて、子供たちも親と同じく働かない働きアリになる。働かない働きアリは、自分の世話も子供の世話も、すべて働く働きアリにさせて、自身は子作りに専念するのだから、子孫を残す（自分の遺伝子を残す）という観点からは、当面は極めて機能的である。しかし、働かない働きアリの数がある閾値《いきち》を超えて増大すると、アミメアリの巣は崩壊するので、巣の存続のためという観点のみならず、自分たちの子孫の安定的な存続という観点からも、まったく有害な存在なのだ。しかし「あるものはある」のである。

機能主義的観点からもっと不思議なのは、働かない働きアリの面倒を見ている働く働きアリである。働く働きアリの博愛行動の結果、最終的に巣は崩壊して、自分たちの子孫も滅びてしまうわけだから、自分たちの子孫を残す（遺伝子を残す）という利己的な観点からも、巣の存続のために命を懸けるという利他的な（全体主義的な）観点からも、まったく有害な行動だ。しかし、機能主義的観点からは理解不能なことでも、存在する限りは「あるものはある」としか言いようがないのだ。

「食うために働け」のウソ

個人が自分の存在に意味をつけたがるのは人間という存在に固有の病気だという話はしたが、意味には個人が生きた（生きている）時代というバイアスがかかる。その時々に支配的なイデオロギーの影響を受けると言い換えてもいい。

すでにあちこちに書いたように、「食うために働け」という言説は、人類が農耕を始めて以来、今日までずっと支配的なイデオロギーであった。狩猟採集生活をしていた頃も、餌をとるために体を動かしたに違いないが、それは今我々が考えている労働とは随分ニュアンスが違っていた概念であったろう。きょう1日の食べ物が採れれば、それ以上働かないのが当たり前の生活と、少しでも多く収穫するために働く、あるいは少しでも多くお金を稼ぐために働く、という生活では、同じ「働く」でも意味合いは全く違う。

「食うために働け」という言説は、時代時代の権力者に都合のいいように言い換えられ、「主君のために」「天皇のために」「みんなのために」「会社のために」「家族のために」「自分のために」と様々なバージョンを生み出し、ついには「グローバル・キャピタリズムの存続のために」というところに辿《たど》り着いたが、そこに通底するのは「権力者のために働け」という愚にもつかない妄想である。

グローバル・キャピタリズムが存続するためには、安い労働力が提供され続けることと、生産コストよりも高く買ってくれる消費者が増え続けることが必須である。だから少子化を問題視しているのは、権力者とその走狗《そうく》である御用言論人であって、多くの一般国民は子供を作りたくない人は作らなくてもいいよと思っているに違いない。しかし、近未来にＡＩが多くの単純労働を肩代わりできるようになると、この構図は全く違ったものとなると思う。

近未来にＡＩによる労働コストが極めて安価になると、安い労働力は不要になる。労働者は基本的に要らなくなるので、この観点からは人口が増える必要は全くない。しかし、一方で人口が減ると消費者数も減少するので、物を作っても誰に売りつけるかが問題になる。さらに大きな問題は、ある程度の人口があっても、ほとんど働かずにお金を稼いでいないとなると、物を買いたくとも買えないという話になる。

そうなった時に社会はどうなるのだろう。一つ目の可能性はベーシック・インカムが制度化されて、人々は働かなくとも収入が保証されるようになることだ。こうなると、個人はお金を使ってものを消費するために存在することになり、働いて金を稼ぐのは善というイデオロギーにコペルニクス的転回が起こることになる。お金を使って物を買わないと経済が回らないので、ベーシック・インカムで支給された金額の半分以下しか使わないときは、ペナルティが科されるようになるかもしれない。

二つ目の可能性は、労働力として役に立たない人は存在する価値がないという旧来のイデオロギーを死守する権力が、ベーシック・インカムなどでこの人たちの生存を保障せずに見捨ててしまうことだ。自給自足の人が増えてくる、不妊手術をした人だけにベーシック・インカムを保証して長期的には役立たずの一般人を抹殺する、暴動が起きる、といった様々なバージョンが考えられるが、詳述するには紙幅が足りない。いずれ稿を改めて論じたい。

老化に進化論的な意味はない

いかがわしい老化の究極原因

前回は存在するものにいちいち理由や意味などない、という話をした。今回は「なぜ老化をするのか」という問は、そもそも問が間違っているという話をする。

「どのように老化が起こるか」という問に関しては、解剖学的、生理学的、分子生物学的な見地からの山ほどの答えがある。それに対して「なぜ」という問に対しては、「老化は自身の遺伝子を残すのに有利だから」というネオダーウィニズム的な答えに、現代生物学は汚染され続けてきた。

最近『若返るクラゲ 老いないネズミ 老化する人間』(集英社インターナショナル)と題する本を読んだ。著者はジョシュ・ミッテルドルフとドリオン・セーガン。原題はCracking the aging code (老化遺伝子を解読する)。ミッテルドルフは老化の究極原因をネオダーウィニズム的な解釈に求めないで、「集団選択」すなわちコミュニティにとって有利だからという立場をとる現時点では異端の学者である。共著者のセーガンは天文学者のカール・セーガンと彼の最初の妻である生物学者のリン・マーギュリスとの間に生まれた長男で、マーギュリスと何冊もの共著がある。マーギュリスが反ネオダーウィニズムの急先《きゅうせん》鋒《ぽう》であったことを思えば、セーガンが本書の出版に協力したのも頷《うなず》ける。

しかし、私は老化の究極原因をネオダーウィニズム的な「個体選択（遺伝子選択）」や反ネオダーウィニズム的な「集団選択」に求めるのはどうも胡散《うさん》臭い気がする。大体、究極原因という考え自体がそもそもいかがわしい。地球上に生命が誕生したのは約38億年前のことだ。どのようなプロセスで誕生したかについてはいずれ答えられるようになるにしても（今のところ、このプロセスの詳細は分からないが）、生命が誕生した究極原因などはないわけで、別に生命が誕生しなくてもかまわなかったわけだ。

ごく乱暴に言えば、生物とは「自分の力で外部からエネルギーと物質を取り入れて代謝を行い、熱と老廃物を外部に捨てている伸縮可能な閉鎖空間システム」のことで、ＤＮＡはこのシステムを動かす装置の一つに過ぎない。構造主義生物学の用語ではこの空間を限定空間と呼び、限定空間が増大すること（成長）、分離すること（生殖）、崩壊すること

（死）、システムのルールが変化すること（進化）が生物の特徴であることは周知の通りであろう。

すべての生物は生殖をするが、生殖をしない生物があってもいいわけで、一つの限定空間を維持しながら、長期にわたって生き延びることも原理的には可能であるが、限定空間内の生物のルールは、物理化学法則から必然的に決定される安定したものではなく、物理化学法則に矛盾しない範囲でその一部だけを恣《し》意的に選んで構築したものなので、何かの加減で破綻《はたん》して基底のルール（物理化学法則）だけが支配する空間に戻ってしまう（という意味は、限定空間と周囲の空間の区別がなくなるということ、すなわち死ぬということ）可能性が常にあり、生殖をして、限定空間を拡大再生産した生物だけが生き残ったというわけなのであろう。

多くの場合、一つの限定空間のシステムは徐々に不調になることが多く、これが老化であるが、生殖の結果作られた新しい限定空間のシステムをリニューアルするメカニズムがあれば、老化をしても限定空間の系列は存続し続けるというだけの話で、老化が限定空間の系列の存続のために何らかの役割を果たす必要はないのだと思う。

米国ユタ州、フィッシュレーク国有林にあるアメリカヤマナラシの森は一つの種子から発生して、巨大なクローンとして生き延びている一つの大きな生命体（限定空間）で、一つにつながった根と4万本以上の幹から成り、その樹齢は8万年とのことである。パンドと呼ばれるこの植物は、我々の感覚で言えば、ほぼ無限の寿命を持つと言えそうだ。すなわちこのクローンは老化しないのだ。アメリカヤマナラシは当然有性生殖もするわけで、老化は子孫の繁栄のために意味があるという考えはこの種にとっては間違いであることが分かる。

もちろん老化をしないということは不死ということではなく、生息環境が悪くなれば、死を免れないことは言うまでもない。アメリカヤマナラシの巨大クローンも、近年、野生動物や家畜の食害にさらされたり、背の高い針葉樹の樹が繁殖して、光が届きにくくなったりして、衰退の兆しがあるため、米農務省林野部は保護活動を推進しているとのことだ。

カギを握る細胞の分裂と変化

ある種の植物が老化しないメカニズムはほぼ分かっていて、動物の体細胞では細胞分裂ごとに短くなるテロメアが、植物の体細胞では短くならないことが最も大きな理由である。よく知られているように細胞分裂の際に染色体の末端にあるテロメアという部位がほんのわずかずつ切れて短くなって、人間では約50回分裂するとテロメアがなくなって、細胞分裂ができなくなり、新陳代謝が不能になって組織は死んでしまう。もっと正確に言うと、体性幹細胞のテロメアがなくなると、組織の細胞が死んでも新しく細胞を作ることができずに、体は急激に衰えてしまう。

切れたテロメアを延ばすにはテロメラーゼという酵素が必要だが、動物の体細胞ではテロメラーゼ活性がごく低いのに対し、植物細胞では非常に高く、細胞の分裂能力が衰えず、故に植物は老化しづらいのである。もちろん植物でも個々の細胞は老化してしばらくすると死んでいくが、幹細胞から分裂してできた新しい細胞系列はほぼ不死だと考えてよさそうだ。

もう一つ植物には多くの動物にみられない能力があり、分化した細胞から別のタイプの細胞に簡単に変化することができるのである。今、自宅の庭には金時草という草が茂っている。茹《ゆ》でて食べると結構おいしい野菜だ。この草は茎だけ10センチくらいの長さに切って地面に挿しておくと、茎のわきから新芽が出て、土の中の茎からは根が出て、立派な個体に育っていく。茎の細胞が葉や根の細胞に簡単に変わることができるのだ。これは植物が簡単に死なないで長生きする一つの理由である。高等動物は脚を切って挿しておけば個体が生じるといった芸当ができないため、体内の一つの器官の不調が命取りになる。

動物でもほとんど老化がみられない種もあり、カメやロブスターは年をとっても老化しないで、若い時よりも繁殖力がある。ハダカデバネズミやアホウドリは生きている間は老化せずに、時が来るといきなり死ぬらしい。２００６年にアイスランドの沖で採れた８・６センチのアイスランドガイの年齢は５０７歳であった。人間に捕獲されなければ、あとどのくらい生きたのだろうか。

プラナリアは真ん中で切ると前方からは後方が再生され、後方からは前方が再生することで知られる下等動物（扁形《へんけい》動物、無体腔《たいこう》の最も原始的な三胚葉《はいよう》動物）で、餌を豊富に与えると余り長生きしないようだが、餌を与えないと自分の体を栄養源にして生き延びるという。前述のミッテルドルフの本によると、まず生殖器を食べ、次いで消化器を食べ、最後に筋肉を食べて、脳と神経細胞だけになってしまうようだ。この段階で餌をあげないと当然餓死してしまうが、ぎりぎりで餌を与えると成長をはじめ、失った器官を次々に再生させて、若返って元気を取り戻すという。

驚くべきことにこの実験は何回も繰り返すことができ、そのたびにプラナリアは若返るようだ。プラナリアの体の中には全能性幹細胞が存在し、ここから分化した細胞が作られる。全能性幹細胞は老化しないので、クローンで生き延びている植物と同じようにプラナリアも再生し続ける限り老化しないのであろう。一度縮まって再生したプラナリアを、元のプラナリアと同じ個体と思うので不思議な気がするのだが、よく考えれば、高等動物も全能性の生殖細胞から発生した仔《こ》は若返るわけだから、個体という概念に縛られなければ、さして変わらないのであろう。

怪しい「お祖母さん仮説」

動物（特に哺乳《ほにゅう》類）が特殊なのは、ほとんどの種では、生殖細胞以外の体細胞の集団である個体が、ある年齢に達すると不可避的に老化して、個体そのものは若返ることができないことだ。多くの哺乳類は、繁殖年齢を過ぎると急激に老化して死んでしまう。ネオダーウィニズム的な考えによれば、繁殖年齢が過ぎて生きていても、自分の遺伝子を残すことに貢献しないばかりか、自分の子孫の食料を奪って、子孫の死亡率が上がり、結果的に自分の遺伝子を残すためにはマイナスなので、自然選択は老化を止めなかったというよりも、むしろ推進したというわけだ。

この話はゴリラやチンパンジーをはじめ多くの哺乳類に当てはまるが、最たる例外は人間だ。人間の女性は50歳前後で閉経しても、その後、何年も生き続ける。人類史上最も長生きした人はジャンヌ・カルマンさんという女性で122歳5か月まで生きた。自然選択はなぜ、繁殖不能な女性をかくも長く生かし給《たま》うのか。そこで登場するのが「お祖母さん仮説」だ。人間は自分の子供や孫を認知することができるので、自分で子供を産まなくても自分の遺伝子を25パーセントの確率で受け継いでいる孫の面倒を見て生存率を上げれば、結果的に自分の遺伝子を残すことに貢献するという説だ。

人間以外にも繁殖年齢を過ぎても生き続ける哺乳類がいる。ゾウとクジラだ。もしかしたらこれらの動物も、孫の世話をしているのかもしれない。しかし、グッピー、ミジンコ、センチュウなどの動物が繁殖年齢を過ぎても生き続けることを知れば、「お祖母さん仮説」が怪しい考えだとわかる。自分の子供ですら見境なく食べてしまうグッピーが、孫の面倒を見ることはありえないからだ。

現在生残している生物種に関して言えば、ある種は個体が年齢を重ねて老化するという性質を持っていても滅びなかったし、ある種は個体が年齢を重ねても老化しないという性質を持っていても滅びなかった。ただそういうことではないのか。老化という現象に進化論的な意味はないと私は思う。

老人になって生き続けるのも大変だ

シニアビジネス先進国日本

高級老人ホーム（入居時自立介護付有料老人ホーム）が主催した講演会で、入居を検討している人たちに向けて、楽しい老後を過ごすためのヒントなどを話してほしいと頼まれて、1時間足らずの講演をしてきた。会場には65歳頃から80歳前と見受けられる４００人近くの方がお見えになっていて、主催の説明を熱心に聞かれていた。私は、老人には未来がないのだから、未来のことは考えない方がいいですよ、といった身も蓋《ふた》もない話をしたのだが、話をしながら考えていたのは、団塊の世代が古希を超えて、こういった高級老人ホームはこれからしばらくが儲《もう》け時だなということであった。

高齢化社会は待ったなしで、日本ばかりでなく中国でも老人問題は深刻になっているようだが、反面、シニアビジネスのチャンスと思っている人もいるはずだ。小金持ちの老人は必要なものもあまりなく、お金をあまり使わず経済が回らないことを考えれば、高級老人ホームにお金を落とすのも、金持ち老人のノブレスオブリージュと思えないでもない。

２０２０年に中国の65歳以上の人口は1億７０００万人と推定されている。日本は３６００万人強で、中国は日本の４・7倍である。シニアビジネス先進国の日本が、この分野で中国その他の外国に進出して儲けるチャンスでもある。完全に失敗した原発の輸出などといった馬鹿げた妄想にしがみついてないで、シニアビジネスを輸出した方がはるかに賢いと思う。

この高級老人ホームは入居時の自立が条件で、マンション型の個室を終身利用でき、介護が必要になれば介護サービスが受けられ、食事は3食用意してくれ、1か月に1回健康管理サービスがあり、外出も外泊も出入り時間も自由、館内に大浴場や娯楽設備もあり、入居者のサークルもある、と至れり尽くせりであるが、入居時の料金（終身）は一人で入居の場合は約２５００万円から８０００万円、二人の場合は約４０００万円から９５００万円、月額利用料は一人利用で約14万円＋水光熱費、二人で約23万円＋水光熱費とかなり高額で、ある程度蓄えがなければ入居できないだろう。

独身や夫婦二人で子供もおらず、そこそこの貯えもあり、財産を遺《のこ》してても国にとられるだけという人たちにとっては、こういった高級老人ホームに入るのは悪い選択ではないのだろう。自宅に書籍や標本が山のようにあり、健康管理などされたくもない私は、勘弁してもらいたいと思うけれどね。そうはいっても、これからどんどん下り坂になる体力と脳力を鑑みれば、女房と二人でいつまで自立して暮らしていけるかしらと思わないでもない。

老人の病気は自然選択の枠外

50歳代までは、不治の病気になるのも、交通事故に遭うのも、本人にとっては青天の霹《へき》靂《れき》みたいなもので、本人でない多くの人は自分でなくてよかったと思い、親しい人は首尾よく回復してくれればよいのにと思い、中にはザマア見ろと思う人もいるかと思うが、どのみち稀な出来事であることは確かである。それが60歳を過ぎる頃から、がんになるのも、痴《ち》呆《ほう》になるのも、脳梗塞《こうそく》になるのも、むしろ当たり前の出来事になってくる。

しかしこの頃から体や頭の具合の良し悪しは個人差が大きくなり、特に痴呆に関しては70歳頃にはすっかり呆《ぼ》けてしまう人もいれば、90歳や100歳になってもしっかりしている人もいる。認知症の割合は、65歳から69歳までは約3パーセントだったものが、年齢が5歳増すごとにほぼ2倍ずつ増加して、85歳から89歳までは40パーセント、90歳から94歳までは60パーセント、95歳以上は80パーセントになる。不思議なことに、痴呆率は80歳代までは女性の方が多少高いくらいであるが、90歳代になると、女性の方が圧倒的に高くなり、男性の痴呆率は90歳代を通してほぼ50パーセントなのに対し、女性は90歳から94歳まで65パーセント強、95歳以上は84パーセントに激増する。

なぜ女性の方が痴呆率が高いのか不思議な気がするが、男性は90歳を過ぎて認知症になるとすぐに死んでしまうが、女性は痴呆になってもしぶとく生きているのかもしれない。平均寿命と健康寿命の差すなわち死ぬまでの要介護の年数は２０１６年の統計で男性が８・８４年なのに対し、女性は12・３５年ということも関係しているのであろう。団塊の世代がすべて75歳以上になる２０２５年には、65歳以上の高齢者の19パーセントが痴呆になるとの推計もある。

高齢になるほど認知症の割合が増えるので、当然、超高齢化社会の日本の全人口に対する認知症の割合はＯＥＣＤ加盟国一で、２０１７年の統計では２・３３パーセントであった。年金の財政が破綻することが分かっている政府は、平均寿命が１００歳になるとウソをついて、高齢者を働かせようとしているけれど、認知症の人を働かせるのは難しい。

認知症のなかで一番多いアルツハイマー病は、有効な治療法もなければ、有効な予防法もない。90歳過ぎてもアルツハイマー病にならないで、生き続けられるのは、余程の僥倖《ぎょうこう》である。生物としての人間の繁殖可能年齢は大体50歳なので、50歳を過ぎてから子孫を残すことはまずない。繁殖期が終わるまでに身心の具合が悪くなる遺伝的な性質は、直接的な遺伝病でなくとも、特定の病気にかかりやすい性質といったものも含めて、自然選択による淘汰《とうた》圧がかかり、人類の集団から除去されてきたと考えられる。

しかし、繁殖期を過ぎて発症する多少とも遺伝子が関与している疾患は、自然選択による淘汰圧がかからず（遺伝子はすでに子供に伝わっているので）、人類の個体群から除かれないのだ。別言すれば、自然選択は老人の病気を減らすことに何の味方もしなかったので、老人になって、あちこち体や頭の具合が悪くなることは仕方がないのである。遺伝的な組み合わせがたまたまいい人だけが、致命的な疾患にならずに長生きができるのである。

誰でも努力をすれば、世界一長生きしたジャンヌ・カルマンさんのように１２２歳５か月まで生きられるということはあり得ない。１０５歳まで生きた日野原重明《ひのはらしげあき》さんの睡眠時間は4時間半ということだが、日野原さんの真似をしても１００歳を過ぎてから1時間もの講演ができるものでもない。普通の人は90歳を過ぎて4時間半しか眠らせてもらえなかったら死んでしまうと思う。私は毎日8時間くらい眠らないと具合が悪い。

乗り越えられない試練

歳をとったらうまいものを食って今日明日の楽しみだけを考えて、適当に生きているのが一番幸せで、死病になったら諦《あきら》めるほかはないと思う。そうは言っても煩悩に支配された凡人はなかなかそうもいかないことは、私も凡人の一人としてよく分かっているが、歳をとれば、がんが発症するのは仕方がないのだ。毎年、律義にがん検診を受けて、がんが発見されると医者の言いなりに治療を受けても、生き延びられるとは限らない。私はもう20年以上、がん検診を受けたことはない。

近藤誠《こんどうまこと》の言うように何もせずに放置しておいた方が長生きできる場合も多いと思う。前《ぜん》立腺《りつせん》がんの治療を受けた後の5年生存率は98パーセントを超えるという。30年程前まではこの率は50〜60パーセントくらいだった。早期発見、早期治療で予後が良くなったと思われるかもしれないが、その間、同様に早期発見、早期治療が進んだ大腸がんの5年生存率はほとんど変わらない。前立腺がんの場合は、放っておいても死なないがんもどきを見つけて無理に治療をしているのだ。それで見かけ上の5年生存率が上がったわけだ。欧米では前立腺がんは無理に発見しようとしないで、発見してしまった場合も無治療で様子を見るのが一般的だ。日本のように無理やり治療に誘導するのは医者の利権である。

年寄りになってからの全身麻酔を必要とする手術は、痴呆を加速させることが多い。体は元気になりましたが頭は呆けました、というのが一番始末が悪い。完全に呆けてしまえば、本人は苦しくないかもしれないが、介護する家族は大変である。それで、元気なうちに本項冒頭に記したような老人ホームに入居しようかということになるのだろう。

完全に呆けてしまえば、無敵になってしまうのかもしれないが、呆け始めたことを本人が自覚していると、かなり恐ろしいらしい。特に、若年性アルツハイマーの発症期は、本人にとっては相当な恐怖であるようだ。つい最近まで、何気なく出来たことが、どうも上手く出来ない。近くのスーパーから自宅への帰り道が分からなくなった。今日が何曜日かよく分からない。こうなると、頭が真っ白になって、気が狂いそうになるというのはよく分かる。最近も、呆けてしまった妻の呆け始めた頃の手帳を見たら、子供の名前や孫の名前を毎日毎日書いていたという話を聞いた。少しでも呆けを遅らせようと涙ぐましい努力をしていたのだと思うと切なくなる。

しかし、残念ながら努力をしてもアルツハイマー病の進行を止めるのは難しい。白血病を発症した若い水泳の選手が「神様は乗り越えられない試練は与えない」との聖書の言葉を引用して話題になっている。この選手はまだ若く、恐らく治癒すると思うし、治癒してほしいと思う気持ちに偽りはないが、乗り越えられない試練もあるのだ。特に歳をとってからの試練は、はっきり言って十中八九は乗り越えられない。

この世で乗り越えられない試練でも、神や仏を信じて、あの世に行けば乗り越えられると思って、心の平穏を得る人は幸せで羨《うらや》ましい限りであるが、神も仏もあの世も信じていない私にも死期は刻々と近づいてくる。さてどうしたものか。とりあえず酒でも飲むか。

記憶と死の恐怖

エピソード記憶と意味記憶

今から15年以上前に書いた「人は死ぬ」というエッセイがある（『やがて消えゆく我が身なら』角川ソフィア文庫収載）。メインテーマは「人はなぜ死ぬのが怖いのか」というもので、自我の喪失（自己同一性の喪失）こそが恐怖の源泉だといったことが書いてあった。他人事みたいな物言いだけれども、自分で書いたエッセイと雖《いえど》も、読み返さなければ、何が書いてあるのか分からないのだ。呆けてきて昔のことは忘れてしまうのが原因の一つ。沢山書きすぎてどこに何を書いたか分からなくなるのが二つ目の原因。考えが変わって昔書いたことと違うことに頭が占拠されるのが三つ目の原因だ。

私を含めて、ほとんどの人は過去の経験や出来事のうちほんの少しだけを覚えていて、ほとんどのことは忘れてしまう。楽しかったこと、怖かったこと、驚いたことといった感情と強く結びついている経験の記憶はエピソード記憶と呼ばれ、一度だけの経験でも呆けない限り覚えているような記憶である。これに対して歴史の教科書に載っているような事項や、理科のテストに出るような科学的事項の記憶は意味記憶とよばれる。意味記憶は通常、繰り返し思い出さないと忘れてしまうことが多い。

昔自分で書いた文章を覚えているとしたら、この二つの記憶のどちらだろう。これは微妙な問題で、書いている時の特別な状況と強く結びついている文章はエピソード記憶と考えても差し支えないだろうが、ほとんどは意味記憶であろう。だから大抵忘れている。自分の書いた文章だから読み返せば思い出すが、空で再現できるものではない。しかし、中には自分の経験や知識をすべて覚えている人もいるようだ。

ヘレン・トムスン『9つの脳の不思議な物語』（仁木めぐみ訳、文藝春秋、2019）に紹介されている完全記憶者は、過去の出来事を完璧《かんぺき》に覚えている。

「ただどうにかして助けてほしいのです。私は三四歳なのですが、過去を思い出す、信じられないような能力が一一歳のときからあります。それはただ思い出せるというだけではなくて、日付も、一九七四年以降ならすべてわかります。そしてその出来事が起こった曜日がわかりますし、何か重要なことが起こった日については、その日自分が何をしていたのかもわかります。テレビで何か日付が映ると、私は無意識に、その日に戻って自分がどこにいたか、何をしていたか、それが何曜日だったかと思い出します。自分では止めることも、どうすることもできません。とても疲れるのです」

（前掲書33ページ）

昔の記憶が頭の中を常に飛び交っているのは大変疲れるという話はよく分かる。しかし中には、昔の出来事をいつでも思い出せるけれども別にそのことで疲れたりしない人もいるようだ。ヘレン・トムスンの本にもそういう事例が載っている。恐らく疲れる人と、疲れない人の違いは、思い出そうと思わなくともほとんど自動的に思い出してしまう人と、思い出そうと思った時だけ思い出すことができる人の違いなのだと思う。いずれにせよ、エピソード記憶も意味記憶も脳に焼き付けたように覚えている人は一種のサヴァンである。

海馬の重要な役割

不思議なことにこういう人でも、記憶力コンテストですごい成績を上げられるわけではないのである。時々出ている「ホンマでっか!?TV」というテレビ番組で、記憶力日本選手権大会6度優勝の池田義博《いけだよしひろ》さんとご一緒したことがある。ランダムに並べたトランプの札の順番を2分間で記憶して、それを再現するというテストを完璧にこなして、並み居る出演者をびっくりさせたが、これはサヴァン的な能力ではなく、訓練によってある程度身に付く記憶術を使っているのである。ヘレン・トムスンの本にも、池田義博さんと同じテストで52枚のトランプの順番を21・5秒で記憶した世界記憶力選手権の優勝者の話が出ていた。

「よく知っている現実の景色を心の中に思い浮かべ、物事を記憶する方法だ。選ばれるのは自宅の中や職場に向かう道のりであることが多い。トランプや買い物の品など多くの事柄を覚えるために、この記憶の宮殿の中を歩きながら、それぞれの品目のイメージを特定の場所に置いていくのだ。思い出すときは、覚えたときの道のりを辿り、記憶を回収すればいい」

（前掲書35〜36ページ）

ほぼ同じことを池田義博さんも言っていた。しかしサヴァンの人はそういうやり方で記憶しているわけではないようだ。記憶力選手権で記憶したトランプの順番はチャンピオンでもすぐに忘れてしまうが、サヴァンの記憶は消えないのでメカニズムが異なるのである。

記憶には海馬という大脳辺縁系に存在する脳領域が関わっていることが分かっている。アルツハイマー病でまず真っ先に縮退していく領域は海馬である。海馬が完全に壊れると、新しい記憶を構成することができなくなる。我々は直前の出来事を整理して、そのうちのいくつかを記憶として脳に蓄えていくが、この機能を担っているのが海馬である。記憶そのものは海馬に蓄えられるわけではないので、海馬が壊れてもすでに蓄えられている記憶は消えない。アルツハイマー病になると、昔のことはよく覚えているのに、少し前のことは何一つ覚えていないのはこの故である。

アルツハイマー病の病変はもちろん海馬にだけ起こるわけではなく、脳の様々な領域にアミロイドβという物質が蓄積して、脳細胞を破壊していくので、進行していくと長期記憶も消えていくし、日常の生活にも支障をきたすことになる。しかし中には、外科手術などが原因で海馬だけを喪失する人がいる。この人は、昔のことはよく覚えていて、運動能力や計算能力も正常であるが、海馬喪失後の新しい経験を記憶として蓄積することができない。海馬喪失後の経験は昨日とほぼ同じ経験でも常に新しい経験なのである。この人からは少し以前のことを想起するという能力が消えてしまっているので、頭の中には遠い昔の記憶と現在しかない。近過去の記憶からくる不安とは無縁なストレスレスな人生なのではないだろうか。もしかしたら、未来の不安とも無縁なのかもしれない。

死ぬのが怖いのは健康の証拠

さて、先に海馬は記憶を構成する機能に関係すると述べたが、その意味は、偽りの記憶を捏造《ねつぞう》することもあり得るということだ。養老孟司《ようろうたけし》の『唯脳論』（ちくま学芸文庫）に述べられているように、本人にとっての現実とは脳内の現実なので、偽りの記憶もひとたび固定されると、本人にとっては現実の出来事の記憶と区別ができなくなるのだ。特に繰り返し想起されると、そのたびに記憶が強化されて、本当の経験よりさらに本当のように思われてくるのだろう。

先ごろ、乳腺外科医が手術直後の女性患者の胸を舐《な》めたとして、準強制わいせつ罪に問われていた裁判の判決が東京地裁であり、女性の訴えはせん妄の結果だとして無罪が言い渡されたが、全身麻酔から覚めた直後や、金縛りの最中には時々せん妄が起こり、本人にとっては極めてありありとした記憶として脳内に固定されることがある。

かつてアメリカで、UFO騒ぎが盛りだった頃、寝ている最中に宇宙人が現れて、宇宙船に連れていかれ、様々な性的ないたずらをされて、気が付くとベッドに帰されて寝ていたという経験を、微に入り細に入り語る女性に、マスコミが翻弄《ほんろう》されたことがあるが、これも金縛りの最中に起きた典型的なせん妄である。先の胸舐め裁判の女性の証言も、実際に経験した人間にしか語れない極めてリアルなものだったというのが、検察の起訴理由の一つであったと聞くが、せん妄の際の偽りの記憶は、本当のそれよりもリアルなことが多いのである。

舐められたと主張する女性の胸から被告人（手術医）のDNAが含まれる唾液《だえき》や口腔《こうくう》内細胞が検出されたというのも検察の起訴理由の一つのようだが、警視庁科捜研は、鑑定の際のデータやDNA抽出液の残りをすでに廃棄しているというのだから、これは意図的に行われなかったとしたら致命的なミスであり、意図的ならば、鑑定の信憑《しんぴょう》性が乏しかった可能性を認めているの同じであろう。病室は4人部屋で当日は満床で、看護師らが頻繁に出入りしていたとのことで、事件は状況的にあり得ないという弁護側の主張は尤《もっと》もだと思う。

被告人は一貫して犯行を否認していたというが、105日間も身体拘束を受け、職を失い、社会的信用や、悪乗りしたネット上の中傷に苦しめられたという。ゴーンの逮捕の時もそうだが、有罪を認めて自白するまで、釈放しないという日本の検察は異常である。一定期間以上勾留《こうりゅう》を続けた後の自白は、精神的拷問による自白なので、証拠能力としては無効であるという判例を作るべきだと思う。検察が推定有罪にした被告を裁判前に長期間拘束することは人権侵害であって、日本は民主主義国家ではないことを世界に向けて発信しているようなものだ。

ところで話は記憶である。冒頭で、多くの人が死ぬのが怖いと感じるのは自我の喪失(自己同一性の喪失)に起因すると述べたが、自己同一性は、近過去の記憶、現在の状況の把握、未来の予想、という時間の流れを感じないところでは、はっきりと意識できない。自己同一性とは時間を孕《はら》む同一性だからだ。海馬を喪失して近過去の記憶を構成することができない人は、だから、恐らく死ぬのが怖くないと思う。アルツハイマー病が進行した人も恐らく死ぬのが怖くないに違いない。基本的に現在がほぼすべてのイヌやネコも死ぬのが怖いという感情を抱くことはないと思う。

死ぬのが怖いのは人間として正常な感情であり、むしろ寿《ことほ》ぐべきことで、頭が健康な証拠なのだ。人生は死ぬのが怖いと思っているうちが華なのである。

ヒトは酒だけの食事でも生きていける？

3食全部酒は羨ましい!?

『現代思想』2019年8月号の特集は「アインシュタイン」で、興味深い論考が並んでいるが、私が一番びっくりしたのは、アインシュタインがらみの話ではなく、最終ページに載っている「研究手帖」という小文である。砂野《すなの》唯《ゆい》さんという方が書かれた「フィールドワークの中毒性」を引用させて頂く。

「私がはじめてフィールドワークを実施したエチオピアの村では酒が主食であり、それ以外の食事をほとんど口にしない。朝起きると朝食として酒を飲み、日中は畑に居ようが村に居ようが喉が渇くと酒を飲んで喉を潤し、お腹が減ると酒を飲んで腹を満たす。夕方、家に帰ると固形食をつまみながら、酒を飲んで夕食とするのだ。日本人である私の常識では、食事は主食のご飯やパンと副食の肉や魚、野菜料理であったし、酒は嗜好品で食事ではない。しかし、酒ばかり飲んでいるにもかかわらず、彼らは酩酊することはなく健康かつ長寿であり、酒ばかりの食生活に飽きている様子はなかった」（「現代思想」第47巻第10号、246頁、2019）

にわかに信じられない話だけれど、続きを読むと「科学的・社会学的な調査を進めるうちに、彼らの主食とする酒が低アルコール濃度で高栄養価な食材であり、厳しい気候の中でエクステンシブな農法を行う彼らの生業・生活に適した食事であることが判明した」（同書）と分かったような分からないようなことが書いてあった。ちなみにエクステンシブな農法とは、単位面積当たりの土地に資本や労力をあまり投下せず、自然に任せて営む農業のことで、この反対が集約農業である。私流に解釈すると、あまり真面目に働かないので、朝から酒飲んでいても暮らせるということなのだろうか。

酒飲みの私としては実に羨ましい暮らしだけれど、日本で同じことをしたら、家族の鼻つまみになり、うっかりすると病院送りになりかねない。所変われば品変わるとは言え、朝昼夕の3食が全部酒というのは、さすがに驚いた。いくら低アルコール濃度で高栄養価の食事であったとしても、酒だけで健康かつ長寿を保てるのであれば、日本で巷間《こうかん》叫ばれている、酒はほどほどに、週に2日は休肝日、といった標語は、いったいどうなっているのだろうね。

一つ考えられる理由は、この村のような食習慣が確立すると、アルコールに弱い遺伝的素質を持った人は、徐々に淘汰され、残ったのはアルコールに強い人だけだというもの。もう一つ考えられるのは、血中のアルコール濃度がごく低ければ、ほぼ常にアルコールが血液中に存在しても、健康には影響がなく、適度な栄養分を取っていれば、ヒトは生きられるというものだ。実際、醸造酒(日本酒、ワイン、ビール)には炭水化物、タンパク質のほか、豊富なビタミンやミネラルが入っている。脂質はほとんどゼロだが、脂質は炭水化物から合成できるので、酒だけ飲んでいても生きられると言われれば、そうかもしれないと納得できる。

おせっかいな人の尤もらしい理由

大体、ヒトはどんなものを食っていてもそこそこの歳まで生きられるのではないかと思う。野菜をほとんど食べなくて、肉と魚と酒だけで80歳過ぎまで生きた人を知っている。

ビタミンC不足で壊血病にならなかったのは、魚を生で食べていたからだろう。ほとんど、アザラシの生肉しか食っていなかった時代のイヌイット（エスキモー）の人々も生きていたわけだから、多種類の食品をバランスよく食べなくても、生きるには恐らく問題はないのであろう。

そうはいっても、毎日同じものばかり食べろと言われれば、勘弁してもらいたいと私ならば思う。衣食住が足りている多くの現代人も、私と同じ考えだろう。私は32年間、毎日酒を欠かしたことはないが、3食、酒だけ飲んで暮らせと言われたら、気が狂いそうになるな。

いろいろなものを食べるのは、健康や長寿のためではなく、楽しいからである。しかし、単に楽しいためというのは何となく後ろめたいので、尤もらしい後付けの理由をつける。健康や病気の予防のためというのが最も流行っている言い訳だが、すると今度は、おせっかいな人が、これこれの食べ物は体に悪いなどと言い出す。酒はその最たるものだが、酒だけ飲んで生きている人々の存在は、こういった言説に対する強烈な反証である。

尤もらしい理由をつけるのは食品の摂取についてだけではない。財務官僚の利権と大企業の私利私欲のために存在する消費税は、国民の福祉のためという名目で導入されたが、福祉にはほとんど使われていないのは周知の事実である。山本太郎《やまもとたろう》は実はそのほとんどは法人税の減税の補塡に使われていることを暴いて見せた。

話が横道にそれた。健康・長寿は、食材の種類というよりも、炭水化物、脂質、タンパク質、ビタミン、ミネラルが過不足なく摂取されるかどうかにかかっているわけで、特定の食材が特に健康にいいわけのものではないのだ。何を食っても寿命にさして差が出るわけのものではない。但《ただ》し、放射性物質が入っている可能性があるものと農薬漬けのものは避けた方が無難である。

ドツボに嵌っていく日本

多国籍バイオ化学メーカー・モンサントが開発した除草剤のグリホサート（商品名ラウンドアップ）を、長年使用していたため悪性リンパ腫《しゅ》（非ホジキンリンパ腫）を発症したとして、同社を訴えていた複数の裁判で、2018年8月に出た2億9000万ドルの損害賠償金の支払い命令に次いで、2019年3月にも、8000万ドルの支払い命令が出て、2018年6月にモンサントを買収したドイツのバイエルは窮地に立たされて、株価が急落した。訴訟は1万8000件を超えており、泥沼になることを恐れたバイエルは、和解のために80億ドル（８５００億円）を支払う方針だというニュースが最近になって伝わってきた。

ＥＵではこれを受けてグリホサート禁止の動きが加速している。あろうことか日本では、２０１７年12月にグリホサートの使用規制を大幅に緩和し、ソバで従来の１５０倍、ヒマワリの種子に至っては４００倍に緩和した。家庭用のラウンドアップは１００円ショップなどで売られていて、安全だと信じ込まされている人も多い。日本のマスコミはそういう国民の安全に関する重要情報は全く流さない。国民の健康よりも大企業の儲けの方が重要だと思っているようだ。

ＥＵで福島第一原発のような事故が起きたら、訴訟ラッシュで原発の会社は何兆円にも及ぶ賠償金の支払いを命じられると思う。原発を推進した政府自民党も、東京電力も、一切責任を取らない国は異常である。口を開けば、食べて応援とか、風評被害とか言って、一般の消費者のせいで福島の復興が進まないかのような言説を流す政府と、その広報機関のマスコミに支配されて、日本はどんどんドツボに嵌《はま》っていく。

訴訟しても政府の奴隷に成り下がっている裁判所は、政府と大企業に有利な判決しか出さない。三権分立が機能していない点では、日本は中国や北朝鮮と選ぶところがない。大法院（最高裁）が政府の方針と異なる判決を出しても、政府が判決には従わざるを得ないと言っている韓国は、日本よりはるかに民主的だということが分かっている人が日本にどれだけいるのだろうか。日本すごいと浮かれているネトウヨも、何も考えず、投票にもいかない馬鹿な人たちも、後20年も経って気が付けば、最貧国に転落している現実の前に唖《あ》然《ぜん》とするのだろうか。それとも日本すごいと叫びながら飢え死にするのだろうか。私は生きていないからいいけれどね。

日本で大量に使われている除草剤以外の二つの恐ろしい農薬はネオニコチノイドとフィプロニルで、ＥＵでは現在、基本的に使用禁止である。これについてはすでにあちこちに書いたので繰り返さないが、ともかく、日本（やアメリカ）の農作物が危険なことに変わりはないわけで、冒頭に記したエチオピアの村人のように、一日中、安全な食材から作った酒を飲んでいたほうが、おかしな病気にならないで済むかもしれないね。

平均寿命１００歳の内実

健康長寿に一番関係するのは、食材の種類よりも、遺伝的な因子と、どの遺伝子が発現しているのかというエピジェネティックなプロセスであろう。ＳＲＹ（精巣決定遺伝子）

以外の遺伝子がほぼ同じでも、男性が女性より短命なのは、思春期になり、男性ホルモンが働きだして、女性より代謝が活発になり、活性酸素の分泌量が増え、これが細胞を傷つけるからである。

２０１８年の日本人の平均寿命は男性が81・２５歳、女性が87・３２歳で、約6年の差がある。これは食べたものの差ではないことは明らかである。歳をとると認知症の人の割合も増えてくるが、どうやら女性の方が呆ける割合は多そうである。アルツハイマー病の平均余命は発症後8年と言われているにもかかわらず、女性の方がはるかに長生きするのは、他の病気で死ぬ確率が少ないからであろう。

同年齢の人口に占める認知症の人の割合は75歳までは女性の方が多少多いくらいであるが（70〜74歳、男性３・９パーセント、女性４・１パーセント）、そこから差はどんどん開き、90歳以上の女性では、認知症でない人の方がはるかに少なくなる（90〜94歳、男性49・０パーセント、女性65・１パーセント、95歳以上、男性50・６パーセント、女性83・７パーセント）。こうなると、90歳以上の高齢女性では、認知症の人が正常で、認知症でない人は異常だ。

90歳以上で、認知症の割合が男女でこれほど差がある一つの理由は、認知症を発症した後の余命が男性の方が短いからではないだろうか。アメリカのデータでは確かに男性の余命は女性より30パーセントほど短い。もう一つの原因は、そもそも、発症確率が女性の方が2~3倍高いからだ。更年期を過ぎて女性ホルモンが出なくなると、アルツハイマー病の発症確率が高まる。男性は高齢になっても男性ホルモンを多少は分泌する。男性ホルモンのテストステロンは容易にエストラジオール（女性ホルモンの一種）に変換されるので、高齢男性の方が高齢女性より、女性ホルモンの量が多いのである。

現在、日本の85歳以上の人口は570万人（男性176万人、女性393万人）、90歳以上は219万人（男性54万人、女性165万人）である。そのうちの約五割は認知症である。平均寿命が100歳になるといって喜んでいる場合じゃないと思うんだけどね。毒食って早く死んだ方がいいと言っている訳じゃありませんよ。

II

ＡＩと私たち

ＡＩの未来

一割の金持ちと九割の貧乏人

ＡＩ（Artificial Intelligence 人工知能）の発展により、将来多くの職がＡＩにとって代わられるに違いないという話は、今や常識になった。中には、ついには人間の知性を超えてしまうのではないかと夢想する（あるいは危惧する）人たちもいる。確かにマニュアル通りにやる仕事はＡＩの方が早くしかもミスが少ないので、しばらくすると、単純労働はＡＩにやらせた方がコストパフォーマンスがはるかにいいということになるだろう。例えばレジ打ちのような単純な仕事をこなす労働ロボットの価格がどんどん下がって、最低賃金を下回ることになると、レジ打ちの仕事はロボットにとって代わられるようになり、この世からレジ打ちという職種はあらかた消えることになる。

自動運転の車が普及して「自動運転車の車両価格＋維持費」が、「非自動運転車の車両価格＋維持費＋ドライバーの給与」より安くなればドライバーという職業は、やはりこの世からあらかた消えてしまうだろう。そうなった時、人々の暮らしはどうなるのかしら。ホリエモンはAIにはできないスキルを身に付ければ、何も恐れることはないという意見のようだが、そういうことができるのは一部の人だけで、大部分の人々は、努力をしてもAI並みかあるいはそれ以下の仕事しかできないと思う。AI以上の能力がある人とそうでない人の所得格差は拡がり、今以上に所得の二極化が進むだろう。一割の金持ちと九割の貧乏人といった社会になっていくに違いない。

そうなった時に九割の貧乏人の暮らしはどうなるのだろう。多少バラ色の話をすれば、AIの導入によって製造コストが安くなった製品を、今までと同じ価格で売れば、儲《もう》けは莫大《ばくだい》になるから、儲けの一部（大部分）をベーシック・インカムの原資にして、製品を買ってもらおうという選択肢がある。社会の大部分の人が貧乏になれば、製品を買ってくれる人は激減し、企業は潰《つぶ》れてしまうので、ある程度以上の価格で製品を売るためには、こうせざるを得ないわけで、これは、企業にとっても貧乏人にとってもウィン―ウィンゲームとなる。私は、近刊の『ほどほどのすすめ　強すぎ・大きすぎは滅びへの道』（さくら舎、２０１８）と題する拙著で、こういう未来を構想したが、社会システムをベーシック・インカム社会になるべく早く切り替えないと、この構想は頓挫《とんざ》するだろう。

ＡＩの導入によって、製品の製造コストが下がれば、自由競争を旨とする資本主義社会を前提とする限り、製品は製造コストに呼応して安くなり、独占企業は別として、企業は巨大な利益を上げることができなくなる。これはベーシック・インカムの原資がなくなることを意味する。

ベーシック・インカムが制度化されなければ、職を労働ロボットに奪われた人々は暮らしていけないので、仕方なく、労働ロボット以下の低賃金で働かざるを得なくなるかもしれない。理屈では、必需品の価格が半分になれば、賃金が半分でも暮らしていけるはずであるが、労働ロボットが作り出せない高級品を買うとか、上質なサービスを受けることは不可能になり、ぎりぎりの生活をせざるを得ない労働奴隷のような生活になるかもしれない。これは楽しくない未来図だな。

問題はその先である。ＡＩが加速度的に進歩していけば、ＡＩ以上の能力のある人は減少してくる。もし、ＡＩがすべての人の能力や知性を超えれば、究極的にはすべての仕事はＡＩにさせて、生身の人間の出る幕はなくなる、といった社会になってもおかしくない。病気の診断や治療は言うに及ばず、いかなる社会制度が最も適切かといった判断までＡＩ

に任せてしまえば、人間はすべての義務的な仕事から解放されて、後は他人に迷惑を掛けない限り、自由に生きてよいというある意味でユートピアのような社会になるのだろうか。果たして、AIは人の知性の限界を突破できるのか。

「フレーム問題」の壁

ところで、かつてAIブームは2回あって、今が3回目のブームである。最初は1950年代から60年代で、コンピュータに「推論と探索」をさせて正解に辿《たど》り着かせるものであった。厳密なルールとゴールが決まっており、ルールにのっとって正解を導くことがこの時代のAIだった。AIが迷路をうまく抜け出したり、数学の定理を証明したり、ジグソーパズルを解いたりできるのは、コンピュータを単なる計算機だと思っていた当時の人々には驚きであったろう。

第2次ブームは1980年代に起きた。専門家の思考をシミュレーションする所謂《いわゆる》「エキスパートシステム」を開発して、AIに人間の思考を真似させようとのアイデアだ。日本でも結構なブームになって1985年の12月には「AIジャーナル」なる雑誌も刊行された。私はAIの専門家でも何でもないが、この雑誌に「構造主義生物学はなぜそう呼ばれるのか」と題する論文を寄稿し2回に分けて掲載された。いかなる理由で「ＡＩジャーナル」から構造主義生物学の論文の依頼が来たかはよく知らないが、懐かしい思い出である。しかしこのブームはあっという間に過ぎて「ＡＩジャーナル」も１９８７年の12月の第12号をもって廃刊になってしまった。

ブームで終わってしまう大きな理由は、ＡＩは「フレーム問題」を解決できないからだ。フレーム問題とは、有限の処理能力しかないＡＩはすべての事態に対応した解を導くことができない、という考えてみれば当たり前の問題のことだ。例えば、児童生徒の模範になるような学習ロボットを造ることを考えてみよう。授業のある日は遅刻せずに学校に来て、先生の講義を聞き、先生に教わったことを完璧《かんぺき》に覚えるロボットを造ることは可能だろう。テストの問題も模範解答もロボットに作らせれば、先生の手間が省ける。

時間を守ることと講義の学習能力は完璧だが、プログラム以外のことはできない。登校時に川でおぼれている人がいても助けない。緊急事態が発生したときは、学校に来ることや学習を放棄してもいいよという普通の人間なら当たり前のことを覚えさせようとしても、緊急時とは何かというあいまいな命令は理解できない。緊急時に相当することは無数にあって、そのすべてをプログラムに組み込むことは不可能だからだ。おぼれている人は助けなさいという命令一つをとっても、これをプログラムに組み込むことは結構難題だ。川で水浴びしている人を、片っ端から引きずり上げないとも限らない。

そこで、おぼれている人だけ助けて、泳いでいる人は助けないでよい、といった指示を組み込んだロボットを作ると、川でバシャバシャしている人に向かって、あなたは泳いでいるんですか、おぼれているんですかと聞きまわり、泳いでいる人からは「バカ野郎、見りゃわかるだろう」と怒られ、その間に本当におぼれている人は溺死してしまうという事態になりかねない。

ＡＩに対して、あるルールの枠（フレーム）の中の限られた問題だけに限って解を出せばよく、当面関係ない事柄は無視せよ、という指示を出しても、関係があったり関係がなかったりする事柄は無数にあり、すべてを考慮するには無限の時間がかかる。ＡＩは正解が一意に決まっている問題を高速で解くには有効だが、何が正しいのかあいまいな問題を解くのは難しいのである。

未来には正しい選択などない

その問題を統計的に解決しようとしているのが、現在流行している第３次ＡＩブームである。ＡＩの処理能力が格段に速くなって、ビッグデータの解析が容易になったことが、このブームを支えている。今までの膨大な経験を集積して、一番正解（成功）確率が高い解を選べば、それが厳密に正解かどうかわからなくとも、とりあえずいいじゃないかという考えである。こういうコンセプトで作られた将棋や碁のソフトは、今やプロ棋士を凌駕《りょうが》している。

例えば、将棋の戦いは、序盤、中盤、終盤に分けられるが、序盤の指し手は大体決まっており、プロでもＡＩでも少し強いアマでもそう変わらない。終盤が圧倒的に強いのはＡＩである。終盤になって相手の玉に詰みが生じた局面になれば、ＡＩはまず間違えない。ある厳密なルールの下で、正解が一意に決まっている場合、高速処理が可能なＡＩはごく短時間で正解（詰み）を見つけることができるからだ。問題は中盤である。プロは大局観とか直観とかいったあいまいな基準で指し手を決める。可能な指し手はほぼ無数にあり、すべてを計算することは今の段階ではＡＩでも不可能だ。

そこでＡＩはどうしたかというと、例えば過去のプロ棋士の棋譜をサーベイして、最も勝つ確率が高かった手を選ぶといった手法を開発したのだ。もちろんそれ以外にも、駒の損得とか玉の位置とかを数値化して、確率的に最も有利になる指し手を選択するといったことをして、多少あいまいでも勝つ確率が高い手を選べるようになったのだ。その結果、プロでもＡＩに勝てなくなったのである。ゲーム理論を信じれば、有限回で決着がつくゲームは、先手必勝か、後手必勝かのどちらかだということなので、ＡＩの計算スピードがさらに速くなれば、ＡＩは必勝で、人間は誰も勝てなくなる。

羽生《はぶ》善治《よしはる》（永世七冠）は桂馬《けいま》が横に跳べるといったようにルールを変えれば、人間の方が強いと主張したらしい。確かに、新しいルールに対応した棋譜は全くないので、ビッグデータを解析して確率的に最も正しそうな指し手を探すという戦略は無効になるため、当面は人間の方が強いかもしれない。しかし、しばらくすれば、やはりＡＩの方が強くなるだろう。どんなに複雑でも、ルールが決まっていて「フレーム」がはっきりしている問題では、人間はＡＩにかなわない。

そうやってＡＩが進歩して、ある臨界点を超えると、ＡＩは人間の知性をも超えるという所謂「シンギュラリティ仮説」を唱える人もいる。そうなると、先に記したように、生産活動もサービス活動も政策決定もすべてＡＩに任せてしまえばいいことになるが、幸か不幸かそうはならないのだ。なぜかというと、ＡＩはある決まったルールに基づいたシステムの中での最適解しか導くことができないからだ。ＡＩがすべての局面において正解を導けるというのは所謂「ラプラスの魔」に代表される古典力学的世界観であって、一寸先は闇（未来は非決定）という現実世界では、ＡＩは正しい選択肢を提示することはできない。というよりもむしろ、未来に正しい選択肢などないのだ。ヒトが生きるということは、ＡＩに限らず、他者の提示した選択肢に従うのではなく、自分の意志で選択肢を選ぶことにあるのだから。長くなったので、今回はこの辺で。

ＡＩは人間を超えるか

肉体は親でもＡＩとして生き続けられる⁉

今回は前項とは少し別の観点からＡＩについて考えてみよう。「ＡＩの未来」では、ＡＩの発達に伴って、単純労働は生身の人よりＡＩの方が上手にこなせるようになる未来に何が起こるかを考察し、併せて、ＡＩの限界についても論究した。本項ではこれらの議論をさらに進め、極めて高度になったＡＩはついには人間を凌駕するのかについて考えてみたい。

デカルトは生物は複雑な機械に過ぎないと考えた（動物機械論）。これをさらに徹底させたのはラ・メトリの人間機械論で、現代のＡＩもこの線上にあると言ってよいだろう。デカルトは、しかし自分のことをつらつら考えるに、自分の精神だけは機械論的に説明するのは無理ではないかと考えるに至り、人間の心（精神）は物体（物質）から独立した存在だと主張した。

デカルトは松果体を研究し、魂は松果体に宿ると考えた。松果体は左右の脳の真ん中に位置する器官で、現在では概日リズムをコントロールするメラトニンの分泌器官として知られている。発生学的に見ると松果体はヤツメウナギやムカシトカゲなどにみられる頭頂眼（光を感じることができる第3の眼、高等動物では退化している）と相同である。最近、松果体が石灰化するとアルツハイマー病を発症し易くなると言われており、松果体を魂の座と考えたデカルトの考えもそれほど的外れではなかったのかもしれない。余談だが、カルシウムのサプリを飲むと松果体が石灰化し易くなるという報告もあり、心当たりの人は気を付けた方がよさそうである。

脳科学が急速に進歩してfMRIなどの装置により、生身の人間の脳の活動を分析できるようになってきた。視覚、聴覚はもちろんのこと、言語や論理的な能力をはじめ喜怒哀楽などの情動を司《つかさど》る脳の部位が明らかになり、人間の精神活動も、脳の神経系の電気的な活動と、それを助ける脳内の神経伝達物質の働きに、還元できることが分かってきた。我々の脳内の働きをそっくりコピーしたAIを作れば、それは我々そのものではないかという考えが生まれても不思議はない。すなわちついに肉体は死んでも、人間はAIとして生き続けられるというわけだ。

所得と余命の相関関係

そうなると、人間を完全にコピーしたＡＩにも人権を認めるべきかといった問題が生じてくるが、その前にＡＩとバイオテクノロジーの進歩は人間をどこまで改造できるかという話をまずしてみよう。がんの治療法も日進月歩で、そのうち外科手術といった物理的な手法に頼らなくても、多くのがんは治療可能になってくるだろう。医療用のナノロボットが開発されれば、このナノロボットが体内をくまなく廻《まわ》ってがん細胞を見つけ次第攻撃して除去することや、別のタイプのナノロボットが血管壁にこびりついたアテロームを取り除いたり、脳の神経細胞内のアミロイドβを取り除いたりして、心筋梗塞《こうそく》や脳梗塞あるいはアルツハイマー病などの発症を防いでくれるようになるかもしれない。

しかし、最先端の医療は大変高価で、保険診療が可能でなければ、貧乏人には無縁な治療法であることが多い。今の日本は、金持ちだからといって特別に長生きするわけではなく、資産と寿命の間にそれほど大きな相関はないが、アメリカでは所得と寿命の間には現在でもはっきりとした相関があり、金持ちになればなるほど、平均余命が長いことが分かっている。

例えば、ブルッキングス研究所のボスワース氏の2万6000人の米国人を対象とした分析によれば、1940年に生まれた人が55歳になった時の平均余命は、働き盛りの時の所得上位10パーセントに入る金持ちでは、男性34・9年、女性35・3年だが、下位10パーセントの貧乏人では、男性24・2年、女性25・8年と驚くほどの差があるという。

最先端の医療は益々発達し、それに伴い医療費も益々《ますます》高額になっていくことが予想され、金持ちと貧乏人の平均寿命はどんどん開いていくだろう。AIが多くの人々の仕事を奪っていけば、しばらくたつと、ごく少数の金持ちと大多数の貧乏人という構図になるに違いない。ごく少数の特権階級と大多数の平民ということでは、中世と選ぶところはないが、大きく異なるところは、この分極化した二つの階級の間の平均寿命の乖離《かいり》が圧倒的に大きくなっていくことだ。中世では、王様や貴族と雖《いえど》も、平民と同じような病気で死んでおり、効果的に病気を治す術《すべ》はなかったので、金と権力があっても長生きできるとは限らなかった。

最先端のバイオテクノロジーは最初のうちこそ、病気を治すといったネガティブな属性を除去することに専念するであろうが、いずれ、人体を改良して、スーパー人間を作る夢に向かって走り出すに違いない。私はかつて「サイボーグ・オリンピック」（『虫の目で人の世を見る』平凡社新書所収　１９９９）と題するエッセイで、改造人間が生身の人間を運動能力で凌駕する時代が来るという、当時は荒唐無稽《こうとうむけい》と思われた話を書いたことがあるが、今やこの話は現実味を帯びてきた。そのうち運動器官ばかりでなく、人工臓器も生身の臓器の機能を上回るものが開発されて、脳以外はすべてＡＩで動く機械のような人間が出現するだろう。

貧乏人がこの世から消滅する⁉

ＡＩに職を奪われた圧倒的多数の貧乏人にはこういった恩恵は廻ってこないかもしれない。それればかりか、働く必要がない圧倒的多数の人々の群れが、社会システムにとってどんな意味があるのかを考えると、場合によっては面倒な世の中にならないとも限らない。中世の帝国にとって、人民は食料の生産者として、あるいは戦争の際の兵士として、欠くべからざる存在だった。グローバル・キャピタリズムが跋扈《ばっこ》している現代においても、人々は労働者や消費者として、やはり社会システムにとって欠くべからざる存在である。グローバル・キャピタリズムの走狗《そうく》となった権力が、少子化に目くじらを立てているのは、低賃金の労働者と大勢の消費者を確保したいためである。

しかし、ほとんどすべての労働がＡＩに任せられるということになったら、労働者は不要になり、子供を沢山作ることは生産に従事しない人口が増えることだから、社会システムにとって大きな負担となるだろう。丁度、年金生活者の老人が増大している現代と同型の問題に社会は直面することになる。もちろん過渡期では、ＡＩを導入するコストより安い労賃で人々を働かすことは可能だろうが、ＡＩのコストがどんどん下がれば、正確さで劣る生身の人間の労働力はいらないということになるだろう。

この時点で、ベーシック・インカムが導入されていれば、子供を産まなければ満額のベーシック・インカムを保証するが、子供を産むと減額するといった話が出てくるに違いない。子供を産まない人が多くなれば、徐々に人口が減少して、ついには貧乏人はこの世から消滅するかもしれない。子供を産んで育てるのが喜びだという人は、それでも子供を作るだろうが、そのうち、子供を育てることに喜びを感じないように脳を操作されるかもしれない。

ＡＩ内蔵アンドロイドばかりの世界

一方、ごく少数の金持ち連中は、自分の脳のシステムをＡＩにコピーすれば、生身の人間ではなく、ＡＩとして生き続けられるという話に飛びつく可能性が高い。ベストセラー『サピエンス全史』の著者　ユヴァル・ノア・ハラリは近著『ホモ・デウス』（河出書房新社）の掉尾《ちょうび》で次のように述べている。

「１　生き物は本当にアルゴリズムにすぎないのか？　そして、生命は本当にデータ処理にすぎないのか？

２　知能と意識のどちらのほうが価値があるのか？

３　意識は持たないものの高度な知能を備えたアルゴリズムが、私たちが自分自身を知るよりもよく私たちのことを知るようになったとき、社会や政治や日常生活はどうなるのか？」

（『ホモ・デウス　下巻』２４６ページ）

私とそっくり同じに見えるアンドロイドを作って、脳の神経システムをそっくりコピーしたＡＩを作れば、私の知人はこのアンドロイドを私だと看做《みな》すだろう。喋《しゃべ》り方も趣味も嗜好《しこう》も私にそっくりで、何か新しいことに出会っても、過去の私の経験として集積されたビッグデータに基づいて、最も私らしい行動をするだろう。楽しい映画を見たら私と同じように笑うし、悲しい小説を読めば同じように涙ぐむだろう。外から見る限り、このアンドロイドは心を持った人間に見えるに違いない。

金に糸目をつけない人たちがこの状況を見れば、自分が死ぬ前に自分の脳システムをコピーしたアンドロイドを作って、生身の自分の脳が死んだ後もアンドロイドとして生き続けたいと思うだろう。社会の上層階級の人々が死ぬ前にそうやってどんどんアンドロイドに化けていき、貧乏人はアンドロイドになれずに死ぬほかないという状況が続けば、理不尽だと言って暴動が起きるかもしれない。もしまだ貧乏人たちにも選挙権があれば、社会は現在生きている人に限り、新たに子供を作らないという条件の下で、アンドロイドとして生き延びるための資金を提供する決定をするかもしれない。そうやって生身の人間は絶滅していくというのは全く考えられないシナリオではない。

ところで、私がまだ生きているうちに私の脳システムをコピーしてやれば、他人から見れば、私が二人いることになる。しばらく別々に行動して、数年後に再会すれば、様々な事柄に対する意見は全く違っているということはありうる。ＡＩに支配されたアンドロイドは過去のビッグデータに基づいて、私にとって最適な決定をするに違いないが、生身の私は過去のデータなど無視して、破滅的な決定を下すことはありうる。しかし、時にこの決定は素晴らしいイノベーションの始まりかもしれない。ＡＩ内蔵のアンドロイドばかりの世界はつまらない社会になりそうである。

過去のデータなど無視して出鱈目《でたらめ》な決定を下すのが、人間が心を持っている所以だとすれば、ＡＩには心は宿っていないのではないかと私は思う。

AIは格差を固定する？

AIが決める商品の質と量

アマゾンで書籍を買うようになって、しばらくした頃からお薦めの本がありますす、というメールが届くようになった。私が過去に買った本の傾向を分析して購入しそうな書籍を紹介してくれるのだ。便利だと思う人もいるだろうが、私としては余計なおせっかいだ、という思いの方が強い。

こういう芸当ができるのは過去のデータを集積して、適当なアルゴリズムを働かせて、私の読書傾向を推定することが可能になったからである。AI（人工知能）のデータ集積能力と計算能力がひと昔前に比べけた違いに高くなったおかげで、商品の販売戦略は、テレビや新聞といったマスメディアを使って、不特定多数の人に向かって行う宣伝よりもむしろ、個々人に直接働きかけるやり方がメジャーになってきつつあるようだ。

最近話題を集めている無人スーパーは、省力化を進めて、人件費を削減するといった企業にとってのメリットは大きいと思われるが、逆から見れば、レジ係はクビになる訳で、AIは雇用を奪うという巷間《こうかん》ささやかれている話が、現実になってくるということでもある。客は専用のアプリや会員カードを携行しなければ入店できず、商品についているバーコードを読み取って決済しそのまま退店できる。24時間いつでも営業していることや、店員と話さなくてもいいといったことをメリットと感じる客には有難いかもしれないが、どんな商品を購入したかという個人情報は筒抜けになる（AIのビッグデータに集積される）ことを覚悟する必要がある。

AIで管理すると、どんな商品がどれだけ売れたかがリアルタイムで分かり、発注も自動的に可能になるが、しばらく店頭にあってあまり売れなかった商品はAIの判断で撤去されるといったことが起こり、余りポピュラーでない商品を買いたい客にとっては、有難くない事態になることもあるだろう。AIは過去のビッグデータの統計解析によって店頭に並べる商品の質と量を決めるであろうから、客層が異なる地域では品ぞろえも異なってくる。但《ただ》し品ぞろえを決めている最も正しいアルゴリズムがア・プリオリにあるわけではないので、適用するアルゴリズムを変えたら、売り上げも変動するに違いない。アルゴリズムの良し悪しが、売り上げによって検証されるわけだ。

売り上げを左右する因子はものすごく沢山あるので、どの因子にどれだけの重みづけをするかで、売り上げは異なってくるだろう。平日と休日の品ぞろえを変えたり、天気予報によって変えたり、試行錯誤しながらアルゴリズムは進歩していくに違いない。ＡＩはある因子と売り上げの相関を調べ、アルゴリズムに組み込むだろうが、相関は因果関係ではないので、過去のデータから見たらそうなりそうだという話に過ぎないわけで、根本的な状況が変われば、話は全く違ってきてしまう。これはＡＩで未来予測をするときに注意しなければならない重要な問題となる。

アルゴリズムの良し悪しとは

過去のビッグデータを統計解析する能力において、ＡＩは生身の人間の能力を超えてしまったため、将棋では最高峰のプロもＡＩに勝てなくなってきた。野球では、例えば個々のバッターの過去のデータを分析し、守備陣の位置をバッターごとに変えることが普通に行われるようになってきた。あるいは、ある状況でバントをさせるべきか打たせるべきかの判断までＡＩが行えるようになってきた。７回表の攻撃で現在2点差で負けているとか、ピッチャーとバッターの過去の相性とかのデータを分析して最適と思われる選択を決定するわけだ。

野球はもちろんのこと将棋も今のところ決定論的なゲームではないので、常勝のアルゴリズムは存在しないが（ゲーム理論によれば有限回のやり取りで勝負が決するゲームは先手か後手のどちらかが必勝あるいは引き分けということなので、もし将棋がこの範疇《はんちゅう》のゲームであれば、最善のアルゴリズムが存在することになるが、将棋は千日手があるので有限ゲームではない）、過去のビッグデータの統計処理技術が進歩すれば、勝率を上げられるという点ではよく似ている。但し、将棋ではある局面で指される同一の指し手は、ＡＩを含めて誰が指しても同一の価値を持つが、野球ではＡＩが強打せよ、あるいはバントをせよと命じても、選手によって結果が違うので、偶有性の度合いはより強いという差がある。

いずれにせよ、これらのゲームではアルゴリズムの良し悪しは勝負の結果により判定されるので、一番良い結果を出すアルゴリズムの信頼性は高いということになる。先のスーパーの品ぞろえを決定するアルゴリズムや、アマゾンが顧客の購買リストを分析して、購買意欲をそそる商品の宣伝文を送り付けるアルゴリズムも結果により判定される点では同じである。これは、ＡＩの使い方としてはしごく真っ当であると言える。ところがそうではない場合があるのだ。

未来は予測できるが作れない

例えば、アメリカでは従業員を雇用する際に、応募者の個人情報をＡＩに解析させて、雇用するかしないかを決定する企業が増えているという。このＡＩによる決定システムは、一見好ましく見える。従来はコネとか雇用者の好みとか容姿とか口の利き方とかといった、かなり恣意《しい》的な方法で決めていたのが、客観的なやり方に改まったので、より合理的になったように思えるからだ。

しかし、ＡＩが利用できる個人情報は有限の過去のデータから、あるアルゴリズムに従って導いた推論にすぎず、その有効性は事後的に確かめられないという根本的な問題点を孕《はら》んでいる。ＡＩに競馬の勝ち馬の予測をさせれば、血統や過去の戦績、脚質、騎手、他の出走馬との比較、などの様々な因子に適当な重みづけをして、あるアルゴリズムに基づいて勝ち馬を予想するだろう。そして重要なことはこの予想が当たったか外れたかは、レースが終わればば直ちにわかることだ。外れてばかりいるアルゴリズムは棄却されて、より精度の高いものにとって代わられるに違いない。

翻って、雇用決定システムでは、決定が正しかったかどうかを知るすべはない。運良く採用された人と、運悪く不採用になった人がＡＩというブラックボックスで決定されるだけだ。異なる会社で同じアルゴリズムが使われると、不採用になった人は、どの会社を受けても不採用になり、就職の機会を奪われてしまう。ＡＩは様々な個人情報に重みづけをするので、例えば、高級住宅地の出身の人と、貧乏人が多く住む町の出身の人とで、アルゴリズムに組み入れる際の重みづけが異なれば、他のすべての因子が等しくても、前者が採用になり、後者が不採用になるといったことが起こるだろう。

ＡＩは厳密な因果関係ではなくて、相関関係による統計操作をするので、高級住宅地の出身であることと、より高い社会的信用力や知性が強く相関するというデータがあれば、これを決定プロセスに組み込むことを躊躇《ちゅうちょ》しない。あるいは、ある国における人種的マイノリティがマジョリティよりも社会的信用力が低いというデータがあれば、ＡＩはより正確な決定のためという大義名分に従って、このデータを考慮するだろう。かくしてＡＩの無批判な利用は社会的格差を固定することに貢献するようになる。

ほんのわずかな差異で就職できなかった人や、うっかりミスで銀行口座からカードで買った品物の代金の引き落としができなかった人は、この個人データがＡＩに蓄積されるため、以前に比べてより就職が困難になったり、アパートを借りられなくなったり、ローンを組めなくなったりして、この情報がＡＩ上のスコアをさらに低くして、一度、負のスパイラルに落ちると、社会的な上昇は困難を極めるようになってくるだろう。

もちろん、人間の判断によって、出身や性別や人種などの因子はＡＩのアルゴリズムに組み入れないことはできるが、健康診断の結果とかその他もろもろの個人情報の重みづけはブラックボックス化しやすく、ＡＩのビッグデータを適正に運用するのは容易ではない。さらに問題なのは、政治権力が監視ネットワークシステムを張り巡らせて国民の個人情報を集積して、個人の信用スコアを計算して、様々な差別を行うことができるようになる点だ。

中国ではこのようなＡＩによるスコアリングの結果、融資を受けられないといったトリビアルな差別から、ビザの取得が困難になったり、移動の自由が制限されたりといった重大な人権侵害までが生じていると言われ、独裁化が進行中の日本でも対岸の火事と言って済ますわけにはいかない日が来るかもしれない。

紙幅が少なくなってきたが、重要なのは、ＡＩのビッグデータの統計処理から導ける結論は、過去のシステムが基本的に変わらないという前提の下でしか機能しないことだ。ＡＩは未来を予測することはできるが、未来を作ることはできないのである。

ＡＩがもたらす不労社会

生き残れる職業とは

前回は、ＡＩは格差を拡大するという話をしたが、今回は将来、ＡＩで代替できる仕事が大半になった時、人々の生活はどうなるのかについて考えてみよう。オックスフォード大学のＡＩの研究者が、アメリカ労働省のデータに基づいて、７０２の職種がどれだけＡＩに代替されるかを分析した結果、今後10年～20年の間に、総雇用者の47パーセントの仕事がＡＩにとって代わられるだろう、との論文を発表して世界に衝撃を与えたのは２０１４年のことであった。

当時はまだ半信半疑だった人々も、その後5年近くの歳月が流れ、アメリカのみならず、ほとんどの先進国では、多くの仕事が徐々にＡＩに代替されるであろうことをほぼ自明と考えるようになった。前回、話題にしたレジ係のような単純な仕事は言うに及ばず、定まったマニュアルに基づいてデータを処理して結果を出す、といった仕事は相当複雑なものでもＡＩで代替可能になる。その結果、税理士や会計士といった知的職業もそのうち消える可能性が高い。

高度な経験や知識が必要とされる内科医のような仕事も、そのうちＡＩにとって代わられるだろう。ＡＩは過去のビッグデータの統計解析は得意とするところなので、患者の血液検査のデータや患部の画像から、最も確度の高い病名を推断する能力において、生身の人間を凌駕することは間違いない。それは将棋のトッププロがＡＩに勝てなくなったのを見れば分かるであろう。

もちろん将棋のプロはＡＩに負けたところで廃業にはならないが、ＡＩに比べて病気の診断技術が劣る内科医は生き残ることが難しくなるだろう。診断はＡＩに任せて、患者の悩みやこれからの生活設計を共に考えるといった医者だけが生き残れるだろうが、これを医者と呼べるかどうかは微妙な問題だ。いずれにせよ、普通の職業で生き残れるのは、マニュアルにない問題に直面した時に、臨機応変に対処しなければならない職業だけとなろう。

介護や整体師といった生身の人間相手の仕事は、マニュアル通りでは上手くいかないところが出てくるため、しばらくはＡＩは熟達した専門家にはかなわないだろうが、そのうち汎用《はんよう》ＡＩが出現すれば、これらとてもどうなるか分からない。結局、消えてなくならない仕事は、さらに高度なＡＩを考案するといった、最先端の科学研究など、ごくわずかになってしまうかもしれない。

それで、ＡＩにとって代わられた仕事をしていた人は当然失業することになる訳だが、その時社会はいったいどうなるのだろう、というのが今回のテーマである。一番ありそうもないのは、多くの人がＡＩが代われない仕事に転職するという未来だ。ＡＩに代替できない仕事は知的能力以外にも、経験と技能が必要で、30歳代くらいまでの人ならばともかく、中高年の人はこれらを身に付けて転職するのは難しいと思う。さりとて、無収入では本人も困るし、社会全体にとっても大きなリスク要因となって、安定的な社会を築けなくなる。大半の人が無収入では、企業は製品を作っても買う人がおらず、グローバル・キャピタリズムは破綻《はたん》する。

ＡＩ化はまず先進国で始まり、途上国では遅れるであろうから、最初のうちは、ＡＩで作った製品を途上国に売って、資本主義は何とか機能するだろうが、このままでは、先進国の失業者は飢えに直面してしまう。最悪の場合は暴動が起きたり、治安が極めて悪くなったりして、社会は崩壊に直面する恐れなしとしない。膨大な失業者を何とか生かしておくためには、食物を現物支給する、生活保護あるいはベーシック・インカムといった形で、一定の現金を国民に配分する、などといったことをせざるを得なくなるに違いない。しばらくたてば、途上国でもＡＩ化が進んで、世界的規模で、製品を作っても買える人がほとんどいないという状態になり、グローバル・キャピタリズムは完全に崩壊するので、延命のためには、好むと好まざるとにかかわらず、ベーシック・インカムあるいは類似の制度を導入せざるを得なくなる。

ベーシック・インカムの原資

多少ありそうな未来は、ごくわずかなベーシック・インカムを支給して、生活のインフラを全員に保証して、それ以外に収入がない大半の国民は田舎で自給自足の生活をするというものだ。都会のビルで事務仕事をするよりもこちらの方が健康的で楽しいという人もいるだろうから、ベーシック・インカムだけでなんとか暮らせるようになっても、田舎で農業をする人口は増えるかもしれない。現在、田舎には限界集落と称される、人口が減って崩壊寸前の集落が結構沢山あり、ここに移住すれば、なんとか暮らしていけるだろう。

私個人としては、すべての国民に一律に同額の現金を支給する、本当のベーシック・インカム（universal basic income）が最も好ましいと考えている（生活保護、雇用保険、強制加入の年金制度や健康保険制度などは廃止）。過渡期の問題や、抵抗勢力が沢山あって、現実的にはなかなか難しいと思われるだろうが、現状のシステムに適応している大半の抵抗勢力も、ＡＩ化が進めば失業を余儀なくされ、抵抗勢力も現状のシステムも共に崩壊するので、新しいシステムを構築するのはさほど困難なことではないと思う。例えば、年金制度にディペンドしている厚労省の一般官僚や、健康保険制度で食っている多くの医者は、ＡＩ化が進めばともに失業する。

問題はベーシック・インカムの原資である。中には、社会保障給付費（年金、医療、福祉等）をベーシック・インカムにすべて回すとして、２０１８年度の給付費の総額は１２１兆３０００億円で、これを日本の総人口１億２６４４万人（２０１８年10月1日現在）で割ると、年額約96万円（月額約8万円）となるので、増税しなくとも、月額8万円程度のベーシック・インカムが可能だと主張する人がいないわけではないけれども、これはもちろん前提が間違っている。20年後に大半の国民が失業するという状態では、この数値自体が意味をなさなくなってくるので、他に原資を考える必要がある。

AI化が進めば、人件費はごく安くなるので、製品を以前と同じ値段で売れば、企業の儲けは膨大になる。企業の黒字の例えば八割とかをベーシック・インカムの原資として徴収すれば、企業も、国民も共に生き延びることができる。問題は企業間で自由競争をすると製品の価格がどんどん下がり、その結果ベーシック・インカムの原資が減って、国民の購買力も落ちることだ。国際競争力をどう担保するかというややこしい問題を、とりあえず措《お》くとすれば、負のスパイラルに陥らないためには、ベーシック・インカム時代においては、経済に関する常識をひっくり返す必要が出てくるだろう。

例えば、製品の最低価格を設定して、それ以上安く売ってはいけないことにする。企業の黒字を担保するため、役員や従業員の報酬の上限を決める。経済を回すためにベーシック・インカムの半分以上（例えば七割以上）は必ず消費することを義務づける、等々。現状では、馬鹿げた考えに思われるだろうが、少し前まではベーシック・インカムはもちろんのこと、民主主義も男女平等も机上の空論だと思われていたわけで、現在は馬鹿げていると思われる制度でも、将来は当たり前になることはあり得るのだ。

かなりの子供たちが勉強をしなくなる

ベーシック・インカムが上手く機能すれば、働きたい人は働き、趣味に生きたい人は趣味を極め、ボランティアが生きがいの人も、孤独を愛する人も、どんな生き方も可能なので、自分の好きなように人生を送れるわけで、理想の社会になると思いたいが、実際はそうもいかないだろうという不安要素もいくつかある。

まず、すべての個人に支給すると、誕生したら即貰えるわけで、子供の数がどんどん増えて少子化が止まるどころか、多子化に反転しかねない。少子化が困るという言説は安い労働力を確保したい、旧来型のグローバル・キャピタリズムの願望であって、労働力をAIに代替させた方が儲かる未来型の資本主義から見れば、少子化は少しも怖くないし、むしろベーシック・インカム時代には適合的なのである。従って、ベーシック・インカムを満額支給するのは18歳以上と決めて、なるべく人口を増やさないような政策が望まれる。

恐らく一番の問題は、かなりの子供たちが勉強をしなくなることであろう。現在は、働かなければ食えない、そのためには高校や大学を卒業しなければならないというイデオロギーをたたき込まれているので、多くの子供たちは嫌々勉強して、学校に行っている。働かなくても暮らしていけるということになれば、ＡＩに代替できない仕事を目指す人は猛勉強するが、それ以外の人は好きなことしかせずに、かなりの人は高等教育を受ける意欲をなくすかもしれない。

そうなると、国民の平均的な知的レベルはどんどん落ちて、ごく一部の高収入のエリートと大半の低収入の知的能力に欠けた国民に分極する可能性もなくはない。もちろん、定職にはつかずに学問を究める低収入の知的エリートも出現するであろうが、そういう人はわずかだろう。

今の日本人を見る限り、大半の国民は無教養の烏合《うごう》の衆になりそうな気がする。政治にも国際情勢にも興味を示さず、芸能人のスキャンダルや、オンラインゲームにうつつを抜かして、人生を棒に振ってしまう人も今よりもっと増えそうだ。さてその先はどうなるのか、あまり考えたくないな。尤《もっと》も私はすでにその頃鬼籍の人なので、考えても仕方がないけどね。

遺伝子とＡＩ

ハンチントン病はなぜ消えていかないか

ここでは遺伝子とＡＩが将来どう切り結ぶのか、といった話をしてみたい。

かつて13年の歳月と30億ドルの費用を費やして行われたヒトのゲノムの解析（全ＤＮＡ配列の解析）は、今や数日間１０００ドル以下でできるまでになった。とはいえ、全ＤＮＡ配列が分かったところで、どのような形質が発現するのか、どんな病気になりやすいのか、どの程度の寿命が見込めるのか、などが正確に分かるわけではない。

比較的簡単に分かるのは1遺伝子の異常が主たる原因の単一遺伝子病くらいであろう。単一遺伝子病には優性のものと劣性のものがあり、最もよく知られている優性の単一遺伝病はハンチントン病であろう。原因遺伝子は4番染色体の短腕上のＨＴＴ遺伝子で、この遺伝子の第1エクソン（通常、遺伝子は、エクソン、イントロン、エクソン、イントロン、エクソンといった具合にエクソンとイントロンが互い違いに並んでいて、エクソンだけがタンパク質をコードする遺伝情報を担っている）にあるＣＧＡ（グルタミンをコードする遺伝暗号：シトシン、グアニン、アデニン）の繰り返し配列が、37以上あると発症するとされる。通常は11～34のコピー数である。中には８００以上のコピー数を持つ患者もおり、コピー数が多ければ多いほど、若年で発症し、かつ重症である。両親のどちらかがこの病気であると、子は50パーセントの確率で発症する。

遺伝病の多くは劣性で、父母のどちらからも原因遺伝子を受け継いだ時に発症する。よく知られている劣性の単一遺伝病は鎌型赤血球貧血症、嚢胞《のうほう》性繊維症、テイ＝サックス病などで、比較的若年で死亡するため、子孫を残せることは稀《まれ》である。そうなると、自然選択により、これらの病気は徐々に集団から消えていってもよさそうなのに、なぜ無くならないかというと、ヘテロ接合体（片方が病原遺伝子で片方が正常遺伝子）が、昔流行していた感染症に抵抗性があるからだ。

ヘテロ接合体は、鎌形赤血球貧血症ではマラリア、嚢胞性繊維症ではチフス、テイ＝サックス病では結核に対して抵抗性を示し、病気が流行するとむしろ適応的になる。昔、これらの病気が流行っていたところでは、今も病気の原因遺伝子の頻度が高い。それでは、ハンチントン病がなぜ消えていかないかと言えば、多くの患者は繁殖年齢を超えてから発症するため、遺伝子が子孫に受け継がれてしまうからである。

体外受精が主流になって、受精卵の段階で病原遺伝子を簡単に発見できれば、この受精卵は棄却して、正常な遺伝子を持つ胚だけを育てることができるので、遺伝病を徐々に減らすことが可能になる。場合によっては、ゲノム編集によって正常な遺伝子に置き換えてしまうこともできるようになるだろうが、正常な胚《はい》を見つけて育てる方が簡単なので、こういったゲノム編集は流行らないだろう。

中国で、去年、ゲノム編集を施した双子が造られたという事件があった。誰でも考えるのは、素晴らしい遺伝子をゲノム編集の手法で次々にゲノムに入れて理想の人間を造ったらすごいということだろう。

残念ながら、これは難しい。一つの遺伝子と一つの形質（あるいは病気）が、一対一対応していることは稀で、多くの遺伝子は多面発現（一つの遺伝子がいくつもの形質発現に関与している）しているか、あるいは一つの形質が多くの遺伝子の関与の下で発現することが普通だからだ。遺伝の法則を発見したメンデルのエンドウ豆の実験が余りにも見事だったので、多くの人は遺伝子と形質は一対一対応をしていると誤解していることが多いが、そういう遺伝子はむしろ稀で、遺伝子たちは相互に関わりあって、様々な形質を発現させているのだ。

例えば、ＨＴＴ遺伝子（ハンチントン病の原因遺伝子）は大脳の線条体尾状核を冒し、進行性の不随意運動、情動障害、認知障害などを起こすが、同時にこの遺伝子が作るたんぱく質は有力ながん抑制遺伝子のｐ53と結合して、がんの発症を抑制するのではないかと言われている。これも多面発現の一種であろう。

保険の常識が変わる

個人のゲノム情報が集積しだすと、このビッグデータを解析するのにＡＩが使われるのは時間の問題となる。そのうち解析が進むと、ある特定のＤＮＡ配列と、個人の形質や行動パターンや発症しやすい病気等々との相関が判明してくるだろう。ＡＩが導き出すのは相関だけで、原因ではないが、未来の予測には役に立つ。もちろん相関が１００パーセントであれば、ＨＴＴ遺伝子とハンチントン病のように因果関係があると考えられるだろうが、相関が有意であっても、様々な因子が関係している場合は、真の原因は簡単にはわからない。

但し、個々人にしてみれば、遺伝子解析の結果、将来かかりやすい病気が分かり、この病気の予防がある程度可能であれば、ゲノムを解析してもらうことにはメリットがある。あるいは個人の余命の期待値も分かるかもしれない。そこまではよい。問題はその段階に止《とど》まる保証はないことだ。このデータを一番欲しがるのは生命保険の会社だろう。病気になり難《にく》い人や、余命の期待値が長い人にはどんどん保険に入ってもらいたいが、反対の人はご免こうむりたい、というのが保険会社の本音だ。

個人のゲノム情報は携帯電話の番号と違って究極の個人情報であるから、本人以外の人には知らせないとしても、自分のゲノム情報を知った本人は、将来がんになり易いとか、早死にしそうとかが分かれば、高額の生命保険やがん保険に入ろうとするだろう。反対に、しばらくは病気になりそうになく、長生きしそうな人は、障害保険以外の保険には入らなくなるかもしれない。そうなると、保険会社は困ったことになる。保険はもともと相互扶助の精神から発したものだ。困った人をみんなで少しずつお金を出して助けようという精神から始まったに違いなく、リスクの低い人が抜けてしまったら、保険は成り立たない。

保険会社は仕方なく、最も危険な集団に準拠して保険料を設定せざるを得なくなるだろうが、それでは保険に入る人はいなくなり、保険会社は潰れてしまう。どうなるかというと、任意でゲノム情報を提出してくれた人には、ＡＩが推定するリスクに基づいて保険料を値下げする、という商売を始めるだろう。もちろんゲノム情報は保険料の算定に使う以外は使わないという約束をすると思うし、現実的にはゲノム情報をＡＩに放り込んで、ＡＩが保険料を算定するのだから、保険会社の人は誰もゲノム情報を見られないような仕組みになると思う。尤も、生のゲノム情報を見てもそれだけでは何もわからないので、見てもしょうがないけれどね。

個人のゲノム情報と保険料の間にはＡＩというブラックボックスが介在するだけで、なぜこの保険料になるかは保険会社にもわからないので、納得できなければ、契約しないでください、ということになるに違いない。ゲノム情報に関するビッグデータが集積してゆけば、同じゲノム情報でもリスク基準は変化するので、時々別の保険会社に算定し直してもらえば、保険料が安くなることもあり得る。賢い人は、安くなれば契約を変更して、高くなればそのまま継続という選択をするだろう。

気が付けばＡＩの奴隷!?

問題は保険料が分かれば、この人が抱えている健康リスクも同時に分かってしまうので、個人情報を保護すると言っても、これはなかなか難しい。ゲノム検査の結果、自分の健康リスクが少ない人の中には、就職や結婚に際し、その情報を有利に使おうという人も現れるだろうし、偽りの情報を流す人も出てくるだろう。だから、本人と雖も、予防可能な病気以外の情報は知らせないといった規制が必要になるかもしれない。どんな病気になるかいつ死ぬかは神のみぞ知るといった時代から、推定余命からアルツハイマー病になる確率まで、ＡＩが推定できる時代になると、人々はいらぬストレスにさらされ、どんどん不幸になっていくような気がするね。

もちろん、いいこともないわけじゃなくて、ゲノム情報、年齢、ある病気の治療方法による治癒率の相関が、ビッグデータの集積によりある程度分かるようになると、どんな治療法が最適かをＡＩに調べてもらうことなどができるようになるだろう。あるいは、ゲノムの情報に基づき、タバコを吸って肺がんになる確率とか、酒を飲んで食道がんになる確率とかが、個々人によって異なることなども分かるだろう。肺がんになる確率が低い人はタバコを吸ってストレスを解消する方が長生きするとＡＩが予言すれば、禁煙原理主義の馬鹿げた運動も少しは沈静化するかもしれない。

しかし、そのうち何でもかんでもＡＩにお伺いを立てて行動するような人も増えて、気が付けばＡＩの奴隷のような生活になってしまう人もいるかもしれない。人は確率のみで生きているわけではないので、これは面白くない人生だな。

III 市場原理と成果主義

教育に市場原理を持ち込む愚行

学生を教育しようと思ったことは一度もない

大学を定年になって講義から解放されて、心が晴れるかと思ったけれど、そういうこともないみたいだ。講義がなくなって寂しくないですか、と時々聞かれるけれど、もともと講義は余りやりたくなかったので、寂しいということもない。かといって嬉《うれ》しいということもないのだ。

なぜだろうとつらつら考えるに、大学で講義をするのは、私の人生にとって虫採りや理論書の執筆に比べれば、些事《さじ》だったからだろう。こういうことを公言すると怒る人がいるのは承知している。「全身全霊で講義をするのが大学教授の義務だろう」とか「学生のために全力を尽くすのが教師たるものの務めだろう」などといったことをしたり顔でのたまうのだろうね。

私が中学生や高校生の頃にもこういう熱血（のふりをしている）教師がいたが、なるべく関わらないようにしていた。今にして思えば、軽蔑《けいべつ》していたに違いない。実のところ、私にとって、そういう先生は迷惑以外の何者でもなかったのである。精魂込めて教えれば、学習効果が上がるというのは幻想であるし、学生のためと思って行動しても、迷惑なことも多いのだ。独学の方が効率がいいので、放っておいてくれないか、というのが率直な気持ちだった。

好きな先生や、尊敬できる先生もいたが、私自身にとっては、教師から口頭で教わるといった意味での、教育の効果は全くなかったと断言できる。もちろん、この話が一般化できるとは思わないが、少なくとも、教師の教育熱心さと、生徒や学生の学習効果がパラレルになるとは限らないことは確かである。

学問を志すつもりなら、講義を聞くより本を読んだ方が手っ取り早い。私は自分自身の楽しみと知的後継者（ほとんどは知らない人だ）のために、いくつかの理論書を心血を注いで書き、思索にふけった（そのために本もよく読んだ）。講義はそういった楽しみの副産物だったわけで、講義の準備のためだけにエネルギーを注いだことはほとんどなかった。だからといって、でたらめな講義をしたわけではなく、その時々で一番面白そうなトピックを交えた話をしたけれども、学生が理解してくれたかどうかは知らない。そういうことには興味がなかった。

私は学生を教育しようと思ったことは一度もない。学生が教師から何を学ぶかは学生自身の問題であって、私の講義を聞いてゼミに出ても、何も学ばない学生もいるし、私の本を読んで何か悟るところがあったらしく、私を師と仰ぐ学生や私に私淑する人もいるし、ただの飲み友達のジイサンだと思っているゼミ生もいる。いろんな学生がいた方が面白い。今流行りの多様性という奴だが、世間ではこういうのは多様性と言わないのかもしれないね。

万人にとっての最適な教育方法はない

言語の習得、読み書きそろばん、犯罪者にならないための行動規範は、子供の時に教育しないと、まともな大人になれないけれども、高等教育は、能力も個性も違う人々の間のコミュニケーションであるので、万人にとっての最適な教育方法はない。最近の大学教育の最大の問題は、誰に対してもコストを掛ければ、それに見合う教育成果が上がるに違いない、という本当は誰も信じていない建前に、文科省をはじめ教育界が侵されたことだ。

アメリカの物まねだろうが、１年間の講義内容の予定を詳しく書けというシラバスと称するものがある。予定を立ててその通りに講義をやれば、教育成果が上がるに違いないという短絡思考のなせる業だ。教育がプラモデルを組み立てたり、家を建てたりするのと同じように、設計図を作ってその通りにやればうまくいくと思うのは、好コントロール装置たる権力の考えそうなことだけれど、唾棄《だき》すべき妄想である。人間は機械ではないので、予定通りにはならない。

講義でも講演でも一番面白いのはその場で考えた話、二番目に面白いのはつい最近仕入れて自分が面白がっている話なのだ。日進月歩の科学分野では１年前に仕入れた話はもう古くなっていることもあるわけで、シラバス通りにやらずにアドリブでやった方が断然面白い。それで、私は、シラバスを書かずに抵抗したかというと、そういう根性は全くないので、毎年、すべての講義のシラバスを書いてきちんと期限までに提出していたのだ。

まあ、書いたのは最初の年だけで、毎年コピペして同じ内容のシラバスを提出していただけだから、あまり手間はかからなかった。大学からは一度も文句を言われなかったところをみると、誰も読まなかったのだろう。あるいは、形式的に何か書いてあれば、中身はどうでもよかったのかもしれない。だからシラバスなどに何の価値もないのだ。無駄の極みである。しばらくすると、私自身もシラバスに何が書いてあったかうろ覚えになってしまったので、シラバスからはるかに離れた講義をしていたに違いない。

もう一つ、コストを掛けて行っても何の役にも立たないのが、学生による授業評価である。学年の終わり頃になると、授業評価（学生授業アンケート）というのがあって、講義の前に学生に対してアンケート用紙を配って、講義の評価をさせて、しばらくすると結果を担当教員に知らせてくる。アンケート用紙やマークシートや集計費用にかなりのコストがかかるだろうに、何のためにやっているのだろうと思う。

例えば、1. 教員の話し方は適切だった、2. 板書、プロジェクターなどはわかりやすかった、3. 教員は学生の理解を深めるための工夫をした、4. 教員は効果的に学生の参加を促した、5. 教員は授業課題や学生の参加に関して効果的なフィードバックを行った、6. 教員は学生のレベルや理解度を把握して授業を進めた、7. シラバスで示された到達目標が達成されるように授業が行われた、8. 総合的に見てこの授業は有意義だった、といった項目に対して学生が何段階かで評価するもので、最後に感想を記入する欄もある。後で、当該講義の担当教員に知らせて、講義を改善する参考にしてくださいという建前でやっているらしい。

本当のことを言えば、私はどんな項目が並んでいるか知らなかった。この原稿を書こうと思って今調べたのである。なんとなれば、アンケート用紙を配るときにも何が書いてあるのか読まなかったし、アンケートの集計結果が返ってきても見たことがなかったからである。

アンケートには何の興味もなく、いかなる意義も見出《みいだ》せなかったけれど、トラブルを起こすのが面倒くさいので一応実施したが、実質的には完全スルーを決め込んでいたのである。そうやって省エネを図り、自分にとって重要なことだけに時間とコスト（情熱、思考力）を注ぎ込んでいたのだ。「愚かの人にはただ頭を下げよ」というカール・ポラニーの箴言《しんげん》を半分くらいは守っていたわけだ。人生の持ち時間には限りがあるので、こういう些事に神経を使うと、あたら人生を棒に振ってしまうことになる。

そもそも、1．適切に話し、2．わかりやすい板書をして、3．学生の理解を深めるための工夫をして、4．効果的に学生の参加を促し、5．学生に対してフィードバックを行い、6．学生の理解度を把握して講義を行い、7．シラバス通りの講義をしても、学生が何のインパクトも受けない講義もあるのだ。講義は車の運転ではない。マニュアル通りにやっても首尾よくいくという保証はない。学生が、講義の何に魅力を感じ、何に触発されるかは、こういった表面的な形式の彼岸にある問題なのだ。

私のようにアンケート結果など見ないで、ごみ箱に捨てる教員もいると思うが、中にはアンケート結果を見て腹を立てる人もいるようだ。つい最近も、医学部で教鞭《きょうべん》をとっている人が、フェイスブックで怒っていた。彼は臨床医で、急に診なければならない患者が出て、講義を遅刻したという。当然事務方から学生に知らせがあるかと思っていたところ、学生は何も知らされず、彼もエクスキューズをせずに講義を始めたのだろう。後で、送られてきたアンケートを見たら、「金を払っているのだから、ちゃんと講義をしろ」と書いてきた学生がいたという。

近い将来、エリート層は国外に逃亡する

いつの頃から、教育もまた、金の多寡と教育成果は比例すべきだという妄想に多くの人たちが取り憑《つ》かれ始めたのだろうか。もともと、近代以降の公教育は国民国家の国力を高めるためのものだった。初等教育は一人前の国民として生きていくために、高等教育は国家有為の人材を養成して公益に資するために行われたに違いない。国力とは最終的には国民総体の知的レベルなので、そのために国家は多くの予算をつぎ込んだわけだ。もちろん、

日本では国民総体の知的レベルの高さは、国民総体の幸せのためでなく、侵略戦争遂行のために使われたこともあったにしても、国民の知的レベルがある程度高くなければ、侵略戦争すら起こすことはできなかったはずだ。

私が大学生の頃、国立大学の授業料は年間1万2000円（現在の貨幣価値に換算すると5〜6万円くらい）であった。私立大学も文系なら7万円くらいであったと思う。今は国立も50万円を超え、私立は100万円をはるかに超えている大学が多い。

なぜ大学の授業料はかくも急上昇したのか。尤《もっと》もらしい理由は、国立大学の授業料が私立大学に比べ安すぎるので、不公平だという嫉妬《しっと》心をうまく利用して、大蔵省（現在の財務省）が値上げを要求したからということになっているが、ならば私学の授業料を少し下げるべく、助成金を出せばよかったではないかと思うが、そうはならなかった。当初、文部省（現在の文部科学省）は国立大学の授業料値上げに抵抗した（ふりをした？）が、結局は1972年度から3倍の3万6000円になり、その後も止《とど》まるところなく上昇し続け、私学の授業料も呼応するように上昇したのである。

本当の理由は、高等教育は国家有為の人材の養成のためという建前から、本人のキャリアアップのためなのだから、本人が金を出すのが当然だと、政府（あるいは世間一般）の考えが変わったからである。私が学生の頃、休講になっても授業料を返せ、などという学生はいなかった。私自身は大学の講義にはほとんど出なかったし、在学していた期間の大半はストライキとロックアウトでそもそも講義がなかったけれど、学問は独学でやるものと思っていたので、何の文句もなかったし、授業料返せとも思わなかった。なんせ、月額1000円だったので、自分のバイト代からちょいと出せば、払える額だったのだ。

大学の授業料がバカ高くなって、どうなったかというと、エリート層は、自分の金で得た知識と資格なのだから、自分自身が得をすれば、国民国家がどうなろうと知ったことかという心性になり、本来、大学に進学する知力がないのに、みんなが行くので、自分も行かなければ、という落ちこぼれ層は、高額な授業料に見合う成果が得られずに、金返せと言いたくなったわけだ。大金を出せば、高級車は買えるけれど、大金を出して大学に行っても馬鹿が利口になるわけじゃない。そういう当たり前のことを隠ぺいして、コストを掛ければいい教育が受けられるというのはペテンである。高等教育に潤沢な国家予算をつぎ込まず、市場原理に任せれば、国力は衰退するに決まっている。もしかしたら、最初から日本をグローバル・キャピタリズムに売り飛ばす算段だったのかもしれないね。

もう手遅れかもしれないけれど、簡単にできる奥の手は、国立大学の授業料をタダにすることだ（定員も18歳人口の減少にスライドさせればいい）。外国でもドイツやフランスの国立大学の授業料は原則無料である。北欧諸国も原則無料。高いのはアメリカ、イギリス、オーストラリア、カナダなどだが、これらの国は補助制度が充実している。独り日本だけが国立大学の授業料が高いにもかかわらず、補助制度は全くお粗末である。

私が意見をしても始まらないが、このままでは、近い将来、国力が中国や韓国の下になり、エリート層は国外に逃亡すると思う。私が生きているうちに、そうならなければいいけれどね。

何事もほどほどに

気候変動には予防より適応を

2018年9月に角川新書の1冊として『いい加減くらいが丁度いい』と題する拙著を上梓《じょうし》した。「いい加減」と「丁度いい」は同じような意味なのでトートロジーみたいな題だけれど、私が考えたわけではない。

私にとって、自著の題は書肆《しょし》(あるいは編集者)の専決事項みたいなものなので、口を出すことは滅多にないのだ。本の売れ行きは、かなりの割合で題に左右されると言われているので、編集者はなるべく売れそうな題を考えてくださるわけで、世事に疎い当方は、ほぼお任せすることにしているのである。時々、この題では売れないだろうと思うものもあって、案の定売れないのだけれども、もともとどんな本もさほど売れないので、あまり気にしないのである。

前にも述べた『ほどほどのすすめ』（さくら舎）でも似たようなことを、いつも愚痴っているのだけれど、一部の人は真面目なのか馬鹿なのか（たぶん両方なんだろうけれど）、良い（と思った）ことはとことんやるべきだと信じているみたいで、どうしようもないな。どんなことでもやり過ぎれば、良くないという当たり前のことを忘れてしまうのかもしれない。

最近、ひどいのはメガソーラーである。太陽光発電はカーボンフリーなので、地球温暖化対策として有効であるという掛け声で始まったのだろうけれども、最近の状況を見ていると、どう考えてもやりすぎである。都市部が猛暑に見舞われると、地球温暖化は真実で、その原因は二酸化炭素の排出にあるという、政府とマスコミと御用学者挙げてのインチキなプロパガンダを、多くの人が信じてしまうのは無理もないけれども、都市部が猛暑に見舞われる最大の原因は、四六時中クーラーを使うからである。

太陽の黒点数はこのところほとんどゼロなので、マクロに見れば地球は寒冷化すると思う。ここ数百年の地球の平均気温と太陽の黒点数の間には顕著な相関があり、黒点数がゼロの時期が続くと地球が寒冷化する。歴史上一番有名なのは１６４５年から１７１５年の70年間、黒点がほぼ消えてしまったマウンダー極小期である。この時期は地球の平均気温がこの前後に比べ、かなり低下した。

一方、地球の平均気温と大気中の二酸化炭素濃度には有意な相関はない。20世紀になってから二酸化炭素濃度はコンスタントに上昇を続けており、地球の平均気温も上昇基調にあるが、細かく見ると1940年から1970年にかけて摂氏0・2度低下しているし、1997年以降も、二酸化炭素濃度は爆発的に増加したにもかかわらず、平均気温はごくわずかに低下している。

都市部に住んでいると、夏の猛暑ばかり気になるが、田舎や離島は猛暑とは無縁である。例えば、東京都三宅島《みやけじま》の平均気温はここ100年くらいほぼ一定であり、2018年の最高気温は摂氏30・3度である。観測史上1位は2013年8月の摂氏32・6度。都心に比べればはるかに涼しい。鹿児島県の枕崎《まくらざき》や阿久根《あくね》、青森県の深浦《ふかうら》などでもここ20年くらい平均気温はごくわずかだが下がっている。とまれ、地球が温暖化するにせよ、寒冷化するにせよ、それは自然現象なので、人間がコントロールすることはほぼ無理だと思った方がいい。

気候変動を予防するよりも変動した気候に速やかに適応する政策をとった方が賢いと思う。ほとんど、予防にならない二酸化炭素削減策に膨大な税金をつぎ込むより、気候変動に対応するシステムを作った方がはるかに現実的だ。そのためにはもちろん、資源が必要だ。最も重要なのはエネルギーである。原子力発電は欠陥技術であることは明らかで、長い目で見れば、速やかに廃炉にした方がいいことはもちろんだが、短期的な利益しか考えていない人は、とりあえず今儲《もう》かればいいと思っているのだろう。

メガソーラーがもたらす悪夢

今儲かりさえすればいいと思っているのは原発ばかりでなく、ソーラー発電も同じである。将来、化石燃料もウランも枯渇してしまって、核融合技術が実用化されなければ、自然エネルギーに頼るほかはないというのは理屈としてはその通りである。しかし、ここから、ソーラー発電は太陽光という自然エネルギーを使った発電なのでどんどんやろうという話になると、一寸待てと言いたくなる。

ソーラーパネルを屋根の上に設置するくらいは可愛いけれど、山を削って林を伐採したり、広大な湿原を潰《つぶ》して設置したりすれば、自然環境に与える影響はすさまじく、メリットよりもデメリットの方が大きくなるに決まっている。例えば千葉県の鴨川《かもがわ》市では山林の樹木10万本を伐採して、約１４６ヘクタールの山を削って47万枚のソーラーパネルを設置する計画が進んでいるが、これはどう考えてもやりすぎだろう。メガソーラーで発電した電力は固定価格買取制度で、高く売れるので、発電効率がいいうちは儲かるに違いない。逆に言えば、メガソーラーが普及すればするほど電力料金は上がる。ドイツはそれで失敗して、買取制度の見直しを余儀なくされている。とりあえず自分にとって短期的なメリットがあれば、他国で失敗したとわかっていても導入しようというのは、正気の沙汰《さた》ではない。

太陽光や風力に発電を大幅に頼るのは、もう一つ大きな問題があって、曇天の日が続いたり、風がほとんど吹かない日が続いたりすると、発電効率が落ちて、電力が不足する恐れが高まることだ。従って、これらの電力の利用割合が高くなれば高くなるほど、いざとなった時のバックアップが必要になる。バックアップは火力発電が一番簡単なので、メガソーラーや風力発電所が普及すると、それに見合った普段は稼働しない火力発電所が必要になる。そうなると、メガソーラーなど造らずに、最初からこれらの発電所を稼働させておいた方が賢い。

メガソーラーは設置後10年から15年たてば、パネルがほぼ瓦礫《がれき》となって、撤去するには設置する以上の金がかかり、撤去する金がない設置者はパネルを放置して、日本全国にメガソーラーの醜い爪痕《つめあと》だけが残ることになるだろう。儲かると騙《だま》されてメガソーラーに飛びついた一般人の収支が、赤字になることだけは保証する。二酸化炭素の削減が金科玉条になってしまった人は、原発を遂行するか自然エネルギーに賭けるかの二者択一しか考えられなくなって、何事もいい加減にやらなければ破滅を早めるだけだという、当たり前のことを忘れてしまうのだろう。二酸化炭素の増大が地球温暖化の元凶だという馬鹿げた話を信じさえしなければ、今のところ最も安全で効率もよく、環境破壊が少ないのは、石炭かＬＮＧ（液化天然ガス）による火力発電なのである。

日本以外の先進国で健康診断を義務付けている国はない

体の具合が悪くなると、病院に行って診てもらうのが当たり前というのも困った風潮である。ひどい感染症や大怪我、クモ膜下出血や梗塞《こうそく》といった、一刻を争う病状の時は、早く病院に行った方がいいけれども、大概の病気はしばらく様子を見ていても手遅れになることはない。むしろ、ほとんどの病気は勝手に治る。一寸熱が出たくらいで病院に行くと、別の感染症を移されないとも限らず、家で寝ていたほうが賢い。病院に行くのは、時間を使う、金を使う、病気を移されるという三重のデメリットがあることを知るべきだ。

日本には、企業に従業員の健康診断を受けさせるのを義務付ける悪魔のような制度があるが、これは医者と厚労省の利権以外の何物でもない。健康診断を受けたからといって、受けない人に比べて寿命が延びるというエビデンスはないので、日本以外の先進国で健康診断を義務付けている国はない。しかし、健康診断で儲けるシステムがひとたび作られてしまうと、たとえ健康診断を受けても無意味（あるいは有害）ということが分かっても、このシステムで食っている人はシステムを死守すべく厚労省に圧力をかけ、厚労省にとってもこのシステムを維持することが利権の源泉なので、このシステムを終わらせるのは極めて難しくなる。

私は早稲田大学に勤務していた14年間、健康診断を受けたことはない。皆さんも受けるのは血液検査くらいにして、レントゲン検査などは、最近受診したばかりだからとか言って、なるべくスルーした方がいいと思う。無症状なのに、毎年胃カメラを飲んだり、大腸の内視鏡検査をしていたら、かえって具合が悪くなる。検査は具合が悪くなってからすれば十分である。毎年人間ドックを受けていたにもかかわらず、手遅れのがんで死んだ人を私は何人も知っている。

ちなみに、無症状の時に、がん検診を受けても受けなくても、当該のがんによる死亡率に差はない。人口が減ればそれに比例して病人が減る。患者が減れば、医者の儲けも減る。健康診断というのは、健康な人を病気かもしれませんよと恫喝《どうかつ》して、金を巻き上げるシステムなのである。医者に行くなとは言わないが、ほどほどにしておいた方が長生きするのは間違いない。

ほどほどにしておいた方がいいのは、他にも沢山あって、酒やタバコもほどほどがいい。酒やタバコを絶対悪だと信じている人は、絶対ダメとヒステリックに叫ぶかもしれないが、そういう人よりも酒やタバコをほどほどに嗜《たしな》んでニコニコしている人の方が長生きすると思う。運動も健康食品もトクホも健康にいいといって、やり（とり）過ぎれば寿命は縮まる。ほどほどにしておいた方がいいのは政治家も同じで、ウソつき安倍《あべ》もほどほどにしないと、本人も自民党も日本もそのうちクラッシュすると思う。年寄りのたわごとだと思っているでしょうけれどね、アホにつける薬はないのでしょうがないか。

国民の知的レベルの二極化

根本原因は中間層の減少

「アステイオン」という雑誌がある。政治的なプロパガンダの色合いも薄く、センセーショナルな記事もない地味な雑誌であるが、本格的な論考が多く、なかなか読み応えがある。商業誌としては成り立たないのではないかと心配になるが、公益財団法人サントリー文化財団・アステイオン編集委員会編とのことなので、サントリーが財政的なバックアップをしているのだろう。

2018年5月刊の88号には待鳥聡史《まちどりさとし》（京大教授）が「学術言語としての日本語」と題すショートエッセイを載せており、これが面白かった。大衆民主主義がポピュリズムと紙一重になった結果、日本やアメリカも含めて民主主義国家の政治が激しく劣化しているのは衆目の一致するところであろう。

トランプや安倍が、少し考えればウソと分かる言説を操って、国民を煽動《せんどう》しても失脚しないのは、自ら考えることを放棄した多数の国民のおかげである。その理由の一つは、専門家向けの学術的成果が一般の人に共有されづらくなってきたからだ、というのが待鳥の見立てである。

純粋な学術書ばかりでなく、多少とも硬派の本の出版を引き受けてくれる書肆が少なくなった。売れ行きがある程度見込める一握りの著者は措《お》くとして、有名大学の教授クラスでも、多少とも難解な学術書を出版してもらうのは容易ではない。まして無名の若手が心血を注いで大作を書いても、よほどの幸運に恵まれない限り出版してもらうことは不可能だ。難しい本を読もうとする知的スノビズムが衰退したというのが大きな原因だろうが、そもそも、論理を駆使した本を読んで、理解できる少数の知的エリートと、それ以外の人々の、知的レベルの乖離《かいり》が激しくなった、すなわち知的レベルの二極化が進み、中間層が少なくなったことが根本的な原因であろう。

学者は（自然科学系の学者でも人文系の学者でも）、業績を積み上げて昇進していく。自然科学系ではずっと以前から、名のあるジャーナルに論文を載せるのが、最も評価される業績である。科学にとって最も重要な価値は「サムシング・ニュー」ということであるので、ほんのわずかでも新しい知見を盛り込んだ論文を書かねばならない。すでに評価の定まった知見を分かりやすく書いて本にしても、業績としては認めてもらえない。しかし、次々に出版される「サムシング・ニュー」を旨とする論文は玉石混淆《こんこう》であり、中にはSTAP細胞のような捏造《ねつぞう》論文も含まれることとなる。

画期的な新知見や新理論として後世に残る論文はごくわずかで、日々量産される論文のほとんどは10年も経てば、誰にも見向きもされなくなる。それでも、学者として組織の中で昇進してゆくには論文数を増やさなければならない事情に変わりはない。論文の本当の価値は当該分野の専門家にしか分からないため、理学部や工学部であっても、昇進審査をする教授会メンバーのほとんどは、業績の質を判断できない。いきおい、判断の基準は、名のある査読付きのジャーナルに何本論文を書いたかといったことになってしまう。

学術言語としての日本語の地位低下

狭い専門分野で、論文作成競争に明け暮れていると、教授になって多少とも論文作成競争から解放されても、よほど、脳のキャパシティに余裕がある人を除いて、1冊の本を日本語で書くことは難しくなる。理由は主に二つあり、一つは論文はほとんど英語で書くため、日本語で科学的な文章を書く習慣がなかったこと、一つは周辺分野の勉強をする余裕がなかったことだ。周辺分野の基本的な知識がないと一般向きの教養書も、当該分野の包括的な解説をする学術書も読者の興味を引くようには書けない。

もちろん、現在の市場に良質の一般科学書や学術書がないというわけではないが、それ以上にジャンクな本が溢《あふ》れている。一般の人にはこの二つの違いを見分けることが難しい。アマゾンのカスタマーレビューを見ても、なかなかの名著を理解不能な故に酷評しているものや、ジャンクに近い本をべた褒めしているものが結構多いことからもそれが分かる。

一般国民の平均的科学リテラシーが劣化したので、レベルの高い本が読めなくなったのか、レベルの高い科学読本が少なくなったので、国民の科学リテラシーが劣化したのかは定かではないが、少なくとも、良質の科学書が売れる状況でなくなったことだけは確かである。そしてそれは、国民の科学リテラシーの劣化に拍車をかけることもまた確かであろう。自然科学の業績審査にあたっても、日本語の学術書や一般向けの科学書を評価するシステムを作れば、この傾向は幾分かは和らぐであろう。

先に挙げた待鳥によれば、最近この状況は自然科学から人文社会系に拡がってきているという。かつては、人文社会系の論文は日本語で書くのが普通で、いくつかの論文をまとめて1冊の学術書にすることが多かった。しかし近年、経済学や政治学の分野では自然科学系に準拠して、英語で論文を書く方が評価が高くなり、この傾向は法学や歴史学にも及びつつあるという。論文は英語で書いて学術書を日本語で出版するのは、研究者にとって負荷が大きく、ましてや、日本語の学術書があまり評価されないとなれば、日本語で学術書を出版する意欲は薄れる。日本語で学術書が出版されなくなると、学術言語としての日本語の地位が低下するに違いない、と待鳥は危惧する。

専門性が極度に強い自然科学と違って、人文社会系では、かなり高度な学術書でも、知的レベルの高い人であれば、たとえ非専門家でも、日本語で書いてありさえすれば、読みこなせる人は少なくない。日本語で書かれた人文社会系の学術書が減少すれば、この人たちの人文社会のリテラシーは低下することになる。待鳥の予測によれば、そうなると、新書などの形式で専門外の読者に体系的な学識を伝える試みも次第に弱まっていくだろう。

くりかえすが、一般向けの本を書くためには、自分の専門分野の知識だけではなく、周辺分野の知識や学問動向についても勉強する必要があり、その際に日本語で書かれた学術書は頼りになるのだ。学者と雖《いえど》も、日本語のネイティブにとって、周辺分野あるいはさらに遠い分野の知見を外国語から得るのは容易なことではないからだ。

絶滅しつつある知的ジェネラリスト

世界に通用するように論文は英語で書けという圧力は、結果的にこのようなプロセスを通して、国民の知的レベルの二極化をもたらすと同時に、知的エリートの内部においてさえ、自分の専門ばかりではなく、周辺分野の知識や動向も、大凡《おおよそ》把握しているという知的ジェネラリストを、絶滅危惧種に追い込むのである。国力とはつまるところ国民の知的レベルの総体であるので、日本の国際化という掛け声で始まった英語帝国主義への隷属は、皮肉なことに日本の国力の衰退をもたらすことになる。

しかし、待鳥によれば知的レベルの二極化はアメリカでも同じように進行しているらしい。アメリカの人文社会系の学者でも、一般書を書くよりは査読付きのジャーナルに論文を書く方が、出世の近道だからであろう。待鳥は先の論文で次のように述べている。

「現在の先進諸国で目につくのは、存在しない根拠、あるいは極めて薄弱な根拠に基づいて繰り広げられる政治的対立である。そこには様々な背景的事情があるのは確かだが、少なくとも一因として、専門家向けの学術的成果が一般の人々に共有されづらくなっている知的状況があることは否定できない。トランプ大統領の虚言や暴言を非難し、それを信じてしまう支持者を嘲笑《ちょうしょう》することは簡単である。だがそれは、専門家向けにひたすら純化することで最も先鋭的な発展を遂げてきたアメリカ社会科学の敗北であり、自らの学術的成果を専門外の人々に届ける努力を怠ってきた専門家に浴びせられた冷や水であることを無視すべきではない

（「アスティオン」88号、191頁、2018）

国民の知的レベルの二極化と、知的エリートから知的ジェネラリストが絶滅しつつあるという状況が、最終的に何をもたらすかは予断を許さないが、国民が根拠のないスローガンのもとに、危険な選択をする可能性が高くなったことは確かであろう。学術書の出版が困難になったもう一つの理由はSNSに代表されるネット社会の浸透であろう。少なからぬ人々が本を読んで論理的思考を鍛えることを放棄して、好悪と情緒の世界に安住できるSNSという名の麻薬に耽《ふけ》っている。

知的レベルの二極化は貧富の二極化をもたらし、知的レベルの低い貧乏人は、貧乏な自分の現状を改革する方途を考えられず、罵詈《ばり》雑言を吐くことで憂さを晴らすしか術《すべ》がない

という悲惨な状況になっている。果たしてこれは、ネット社会の発展の必然的な結果なのか、あるいは、グローバル・キャピタリズムに国民を労働奴隷として売り飛ばす権力の陰謀だったのだろうか。

効率第一主義は国を亡ぼす

ジャガイモ飢饉による政治的対立

国家にせよ大学にせよ会社にせよ、落ち目の時は多様性を担保する余裕がなく、効率第一主義の改革に走ることが多く、改革すればするほど泥沼に落ち込んでいくというのは、歴史が我々に教える教訓である。資源を一点に集中すると、短期的には上手くいくこともあるが、長い目で見るとまず失敗に終わると思って間違いない。

19世紀の半ばにアイルランドでジャガイモ飢饉《ききん》と呼ばれる大規模な飢饉が発生した。当時のアイルランドは連合王国の直接的な支配下にあり、大部分の土地はアイルランドに住んでいない大地主のもので、半分以上の住民は小作農であった。彼らは地主に地代を納めなくてもよい自分たちの狭い土地でジャガイモを栽培して、それを主食としていた。ほとんどの小作農は最も収量の多い品種を栽培していたので、栽培されているジャガイモはほとんどクローンに近かった。このジャガイモが最も効率が良かったのである。

　ここに襲ってきたのがPotato late blight（ジャガイモ疫病）という病気であった。現在はこの病気はPhytophthora infestansというフハイカビの一種によって引き起こされることが分かっているが、当時はまだ原因は定かでなかった。1845年に始まったこの病気の流行は1846年には全土に蔓延《まんえん》して、ほぼすべてのジャガイモは病気にかかって壊滅状態になった。栽培されていたジャガイモに遺伝的多様性がなく、すべてのジャガイモがこの病気に対する抵抗性を持っていなかったのが原因である。

　この惨状に対して連合王国は救援の手を差し伸べずに、アイルランドで生産されているジャガイモ以外の穀物（小麦、大麦、燕麦《えんばく》、ライ麦）のほぼ全量をイングランドに運び、餓えた小作農を見殺しにした。グレート・ブリテンに住むアイルランドの不在地主は、アイルランドで生産された穀類を売れば儲かるわけで、資本主義の世の中ではこれを止める術はないが、政府がこれを買い上げて小作農に無料で配ることはできたはずで、飢饉を多少とも軽減させることは可能であったに違いない。

　イギリス本国政府のこの冷たい仕打ちが、この後長く続くイングランドとアイルランドの政治的対立の原因になったと言われている。1997年、アイルランドで開かれた追悼集会で、時の首相のトニー・ブレアは飢饉のときのイギリス政府の責任を認めて謝罪の手紙を読み上げた。当事者でないブレアが心の底から謝罪したとも思われないが、政治的なセレモニーとしては多少の効果はあったかもしれない。いずれにせよ、政府が公式に謝罪したということは、ジャガイモ飢饉がすでに歴史的な出来事になったことを示している。

飢饉が始まる前の１８４１年のアイルランドの人口は８１７万人であったが、１８５１年には６５５万人に激減した。当時のアイルランドの人口増加率から考えると、もし飢饉がなかったら、１８５１年の人口は９００万人に達していたと推定され、ということはこの10年間で２５０万人近くの人がアイルランドから消えたことになる。餓死者50万人、栄養失調による病死者50万人、移民１５０万人と言われている。

移民のうちアメリカ合衆国に渡ったアイルランド系住民の数は今や２０００万人とも４０００万人とも言われるほどに増加して、現在アイルランドに住むアイルランド人約３８０万人をはるかに凌駕《りょうが》している。ジョン・F・ケネディやロナルド・レーガンも移民の子孫である。子孫の繁栄という観点からはラッキーだったと言えないこともないが、当時のアイルランド人が不幸であったことに変わりはない。

失敗した時のことを考えない人

多くの生物が最も繁殖効率が良い単為生殖を採用せずに有性生殖をしている理由も、単為生殖で遺伝的多様性がない生物の個体群や種は、環境の急激な変動や病気の大流行によって絶滅してしまったからだろう。単為生殖をしている個体群は現在は効率が良くて大繁栄していても、長い年月の間にはクラッシュを起こす可能性が高いに違いない。

今マダガスカルで猛威を振るっているザリガニは、スルーザリガニ（Procambarus fallax）から変異した単為生殖をする3倍体のザリガニ（P. virginalis　ミステリークレイフィッシュ）で、繁殖効率がすさまじく良いので在来種のザリガニを駆逐して増え続けているらしい。日本でも記録があり環境省は神経をとがらせているようだが、私見ではいずれクラッシュを起こして絶滅すると思う。幸か不幸か人類を含めた哺乳《ほにゅう》類はゲノム・インプリンティングというメカニズムがあるために単為生殖は不可能である。

人間社会でも深慮遠謀が足りない指導者がいる社会は、効率第一主義に走って、目先の成果を求めるあまり、結果的にドツボに嵌《はま》ることが多い。例えば原子力発電所は首尾よく運転している限り効率がいい発電装置で、発電単価も安い。しかし、ひとたび大事故を起こすと、ジャガイモ疫病に罹《かか》ったかつてのアイルランドのジャガイモと同じで、収拾がつかなくなってしまう。

効率第一主義の欠点は失敗した時のことを考えないことである。だからまともな組織であれば、多少の効率を犠牲にしてもリスクヘッジを行うわけだ。自動車の任意保険に入らない人は稀《まれ》だと思うが、事故さえ起こさなければ、保険の掛け金は無駄なのだから、保険に入らない方が効率はいい。しかし、ひとたび大事故を起こすと保険に入っていない場合は悲惨になる。原発を稼働するのは、保険を掛けないで高速道路を制限速度をはるかに超えて運転するようなものだ。

一人が画期的研究成果を出せば元は取れる

ところで、効率第一主義が最もなじまないのが研究と教育である。国立大学は2004年の法人化以来、国から支給される運営費交付金（主として人件費と研究費）を2010年度まで、毎年1パーセント強ずつ減らされてきた。運営費交付金は2016年以降ほぼ横ばいになったが、2004年度に1兆2415億円であったものが2016年度は1兆971億円にまで削減された。11・6パーセントの削減率である。

私は、法人化の少し前に山梨大学の評議員をしていて、悲惨になることが分かっていたので法人化が始まる2004年度に早稲田大学に移ってしまった。一部の人たちは法人化で大学はより自由になるなどと能天気な夢を語っていたが、制度を変えればメリットもデメリットもあるわけで（ほんのわずかのメリットと多大なデメリットがあるのが普通である）、メリットしか見えない人は、善人だけれども度し難い。安倍も安倍のフォロワーも同じようなものかもしれないけどね。

さらに悪いことに、文科省は交付金を一律に配らずに、効率重視というまたぞろ悪魔の理屈を持ち出して、役に立ちそうな研究には手厚く、そうでない研究には資金を回さないと言い出したのである。この時点で、日本の国立大学の転落は決まったといってよい。予算の削減策と傾斜配分がスタートして以来、日本の論文生産力が他の先進国に比して下降線をたどり始めたのは周知の事実である。ノーベル賞学者を含む多くの科学者や知識人が、このままでは日本の知的生産力は三流国に転落すると警告しているにもかかわらず、研究費の恣《し》意《い》的な差配という権力を手放したくない文部科学省には馬耳東風のようである。

知的イノベーションはあらかじめ凡人には分からないからイノベーションなのであって、文部科学省の役人や御用学者が選んだものは、少し近未来から見ればすでに終わっている研究に過ぎないものが多い。例えば、20人の研究者に対して、1億円の研究資金があるとして、一人に9000万円渡して、残りの1000万円を19人に分配するよりも、500万円ずつ均等に分配した方が、あっと驚く知的イノベーションが起こる確率は高くなるのである。

仄聞《そくぶん》するところによれば、地方の国立大学では理系であっても、年間の研究費が10万円~20万円程度のところもあるという。これではさすがにまともな研究は難しい。国立大学の教員が何人いるのかは知らないが、交付金を5兆円くらいにして、教員の数を増やして、雑用と講義の数を減らし、実験系の理系であれば、最低、年間150万円~200万円くらいの研究費を保証すれば、10年後、20年後に日本の大学の知的レベルは大幅に上昇して、世界各国から優秀な若者が蝟集《いしゅう》してくるだろう。何度も言うように、究極的な国力とは国民の知的能力の総体なのであるから、防衛費に5兆円注ぎ込むより、交付金に5兆円注ぎ込む方が国力は上がる。

大学の先生は余り働かないで給料もらって、けしからんというしょうもない嫉妬心から、研究費をケチって講義を沢山させているという風景は、私には、レースに出せば何億も稼げるサラブレッドを牧場で飼い殺しにしている風景とダブって見える。もったいないことである。10人の研究者のうち、9人は駄馬かもしれないが、一人が画期的な研究成果を出せば、元は取れるのである。あらかじめ、その一人が分からない以上、海のものとも山のものとも分からない研究者に、自由な研究ができる時間と、それなりの研究費を渡しておくといった、一見非効率的な方法の方が、結果的なパフォーマンスは良くなるに違いないのである。

無駄働きの強制が日本を滅ぼす

世間が世知辛くなった

大阪府茨木市《いばらき》にあるエビ加工・販売会社「パプアニューギニア海産」では十数人いるパート従業員の勤務形態をフリースケジュール制、即ち、出社の時間も退社の時間も自由、断りなく休んでもいいという制度にして、さらに35〜36項目に分けられる分業のうちで、好きな仕事だけすればよく、嫌いな仕事はしなくてよいという制度を導入したところ、パート従業員の定着率もよく、人件費をかなり削減できたという。

この会社のこの制度はパート従業員に限られているようだけれども、同じ労働時間であれば、管理して働かせるよりも、本人の好きな時に最も得意な仕事をしてもらう方が成果が上がるという、当たり前の事実を示していて、大変興味深い。現行の日本の企業、官庁、学校の働き方を見ていると、これとは真逆なやり方をしているように思える。成果が上がらないのは当然だ。

　私は企業や官庁に勤めたことはないので、そこでの働き方は詳《つまび》らかにはできないが、仄聞する限り、無駄なことや本人が不得意なことに時間とエネルギーを費やしているのだろうと想像できる。私が良く知っているのは学校である。都立高校の定時制に3年間、国立大学（山梨大学）に25年間、私立大学（早稲田大学）に14年間、教員として勤務していたので、学校というところがいかに無駄なことに時間とエネルギーを費やすかについてはよく知っている。悪いことに、私が教員として勤務していた42年間を通してこの傾向は年とともに強まって、それと呼応して教育成果と研究成果はどんどん情けなくなってきたように思う。

　私が都立高校の正規の教諭になったのは、都立大学の博士課程に在学中の１９７６年であった。今ではたぶん、大学院の正規の学生で、公立高校の正規の教諭という2足のわらじは許してもらえないと思う。公務員なのだから、公務に専念しろという建前がきつくなったのである。専念しろと言っても、無駄なことに専念しているだけでは、かえってマイナスなのだけれども、要するに世間が世知辛くなったのである。

　今と比べれば、大分ましだったけれども、当時も時間の無駄以外の何物でもない公務が結構あって、私はなるべくスルーして、最低限必要なことしかしなかった。都立高校の「生物」の非常勤講師は大分長いことやっており、正規の教諭になったのは28歳であったが、一応新人なので、新人研修というのが年に15回ほどもあり、なるべく出席するようにと校長から指示があった。「なるべく」ということは出席しなくてもいいんだなと即座に判断した私は、研修はすべて欠席した。研修の項目を見る限り、役に立つとはとても思えなかったからだ。

半年くらいたったところで、校長に呼ばれて、「研修に行かないと、教頭や校長になれないよ」と諭された。校長はとてもいい人で、恐らく善意で言ってくれたのだろうけれど、私は、ニコニコ笑って「生涯、一兵卒として頑張ります」と答えた。校長はきっと呆《あき》れたのだろう。それ以上何も言わなかったので、私はその後の研修も全部さぼって、新人研修全欠という記録保持者となった。当時は、試用期間というのがなく、建前としては新人教諭へのサービスとして行っていた研修をさぼったくらいでは、正規の公務員を馘首《かくしゅ》することはできなかったのだろう。

余談だが、全欠の記録は他にもあって、早稲田大学に勤務していた14年間、大学から指示された健康診断を一切受診しなかった。新人研修も健康診断も、私にとっては（恐らく私以外のほとんどの人にとっても）、頭や体に余計なストレスがかかって健康を損ねる、貴重な時間の浪費である、という二重のデメリットばかりで、メリットは何もないことは間違いない。

何の役にも立たない無駄な書類

かつて内田樹《うちだたつる》は「権力とは無駄なことを強制させる装置である」という名言を吐いたが、これは、閉鎖的な組織（会社、学校、官庁、国家）の内部において権力に反抗する者の芽を摘むことには素晴らしい効果を発揮するが、外部と競争する段になると、激しいマイナス効果を発揮することになる。

太平洋戦争中の大日本帝国の軍部はまさにこの典型で、例えば、はじめから成算がなかったインパール作戦や、初期はともかく、途中からは単に若いパイロットを死なせるだけに終わった特攻隊などは無駄の極致で、これでは勝てるわけがない。今また、教育現場では無駄なことを教員や児童・生徒・学生に強制させて、あたら才能を潰して、国力を衰退させているわけで、文部官僚は威張っていられて楽しいかもしれないが、これでは諸外国との技術競争に敗れるのはほぼ必然であろう。

学校では通信簿とは別に指導要録というものがあり、児童生徒の「学籍に関する記録」と「指導に関する記録」を書いて、かつては20年間保存することになっていた（現在は「指導に関する記録」は5年間保存に短縮された）。「学籍に関する記録」は学校に在籍していたことを証明する原本みたいなもので、必要なのはよく分かるが、問題は「指導に関する記録」である。評点は書かなければならないが、それ以外にもこまごまとした欄があって、担任の教師が適当なことを書くわけだけれども、公開するわけでも本人に見せるわけでもなく、何の役にも立たない無駄な書類である。

それでも、無駄なことを強制させる権力（直接的には校長）からは空欄はだめだとのお達しが来る。私も担任をしていたので、指導要録を書かねばならぬ。しかし無駄な時間は使いたくない。どうしたかというと、まず担任をしている生徒の数だけの指導要録の用紙をそろえて、評点をつける以外の欄にはすべて「特記事項なし」というハンコを押して、その後で生徒の氏名と評点を記入して、サインと押印をして終わりである。それで文句を言われたことはない。言われたのかもしれないが、右の耳から左の耳にスルーして覚えていないだけかもしれない。指導要録など書くより生徒と遊んでいる方が私は楽しかったし、生徒たちにとってもその方が有意義だったと思う。

私は3年で定時制高校の教諭をやめて、運よく国立大学の常勤講師になったが、小中高の教員に無駄なことをさせようとの圧力はこの頃からどんどん強くなっていったと思う。ちょうどいいタイミングでやめられてラッキーだった。

国立大学が独立行政法人になった2004年頃からこの波は国立大学にも押し寄せてきた。2004年に私立大学に移ることができ、これもラッキーだった。そしてついにこの波は私立大学にも怒濤《どとう》のように押し寄せてきた。酷《ひど》くなる前に定年になってこれまたラッキーだった。

本当に「すごい」のは日本の凋落速度

研究と教育に何の役にも立たないことに時間を使うのはアホの極みだと私は思うが、教員を奴隷のようにこき使うことに喜びを見出した世間は、教員の研究時間と教育時間を奪って嬉々《きき》としているように見える。今や、学校はほぼ最悪のブラック職場になりつつある。

都立高校では私が勤務していた頃は研修日という制度があって、日曜とは別にウイークデイに1日学校に行かなくてもいい日があった。実質、週5日制であった。もちろん夏休みは日直にあたった日以外は学校に行く必要がなかった。そのため教員にはかなりの自由時間があり、郷土史の研究、動植物の分類や生態研究、文学研究等々で、学界でも一目置かれる人も結構いた。実際、高校の教員から大学の教員に転職する人もいた。もちろん、研修日にただ遊んでいる人の方が大多数であったかもしれないが、無駄な仕事をしているより、遊んでいる方が精神衛生上いいに決まっているわけで、そういう自由時間があったため、安月給でも教員を志望した人は多かったはずだ。

世間が世知辛くなって（嫉妬深くなって）、そういう自由を許さなくなり、研修したなら報告書を出せだの、夏休みも学校に来て研修をしろだの、と言うようになって何が起きたかというと、一部の優秀な人材が馬鹿々々しくなって早期退職したり、教員が人気の職業でなくなって志望者が減少したりして、教員の平均的な質は低下したのだ。怒る人もいるだろうが、本当だから仕方がない。

それで研修と称して何をしているのかといえば、模擬授業だの指導法の向上だのと愚にもつかないことに時間を費やしている。優秀な生徒は先生の知的レベルに魅力を感じるのであって、教え方などは些末な問題なのだ。教員が自分で研究したことや、教科書に載っていない最新の学説を熱く語るのを聞いて、魅力を感じた生徒のうちから、将来日本を背負って立つ人材が育つということはあるのだ。

無駄な労働をさせて小中高の教員ばかりでなく、大学の教員にも自由を与えなければ、上の言いつけ通りに動く教員ばかりになり、文科省のコントロール通りに学校現場を縛れるかもしれない。しかしそれでは出鱈目《でたらめ》な教員も現れなければ、素晴らしい教員も現れず、活力のある教育は期待できない。自由にさせておけば、出鱈目なことをする教員も出現すると同時に、ごくわずかでも素晴らしい教員も現れることは間違いない。

将来の日本を支えるのは、上の言いつけ通りに動くイエスマンではなく、傑出した知的イノベーションを発揮する才能だということに思い至れば、ブラック職場になり果てた教育現場が続く限り、日本は諸外国との知的イノベーション競争に勝つことはないだろうと思わざるを得ない。日本は政府と国民が束になって自分の首を絞めている愚かな国だ。「日本すごい」と馬鹿の一つ覚えみたいに叫んでいる人も、本当に「すごい」のは日本の凋落《ちょうらく》の速度だということが分かる日が、もうそこまで来ていると思う。

Ⅳ 動植物散策

多摩動物公園に行ってみた（1）

目玉の動物あれこれ

別に暇というわけではなかったのだが、気分が良かったので女房と一緒に多摩《たま》動物公園に行ってきた。時々出演している「ホンマでっか!?ＴＶ」というテレビ番組で「動物ランキング」というコーナーがあり、小学校低学年の子供をつれて動物園や水族館に行って、その時々で一番気に入った動物を紹介するという他愛のない企画で、数年前に訪れて以来である。

この企画で訪問したのは、上野《うえの》動物園、横浜市立よこはま動物園（よこはま動物園ズーラシア）、千葉市動物公園、八景島《はっけいじま》シーパラダイス、アドベンチャーワールド、そして多摩動物公園である。それぞれ目玉の動物がいて、どこの動物園も水族館も飽きるということはない。

上野動物園はコンパクトにまとまっていて、動物の種類も多いが、大型の動物にとってはちょっと窮屈な感じがする。ホッキョクグマなんかは見ていて可哀そうだ。小さな草食獣は動物園で飼育されていれば、捕食者に食われることもなく、餌不足で餓死する心配もなく、野生で生きるよりも幸せかもしれないが、大型の知能が高い動物はノイローゼになりそうだ。

ズーラシアではオカピが素敵だ。3世代にわたって繁殖に成功しているということで、飼育員の腕がいいのだろう。動物園で繁殖させるのに一番大事なのは、繁殖をさせようとする動物の雌雄の相性で、それと同じくらいに重要なのは飼育員と動物の相性である。上野動物園ではやっとジャイアントパンダの赤子が生まれたが、南紀白浜《なんきしらはま》のアドベンチャーワールドでは何頭も生まれており、飼育員とジャイアントパンダの信頼関係が強固なのだと思う。

千葉市動物公園ではレッサーパンダの風太《ふうた》君が有名だが、人間で言えば七〇歳くらいということで（2019年現在、16歳）、さすがにすっくと立つというわけにはいかないようだが、数年前に見た時も歳相応に元気そうだった。日本最高齢のレッサーパンダは秋吉台《あきよしだい》自然動物公園サファリランドで飼われていたバウバウだが、2018年の1月に23歳で死んだという。人間に当てはめると100歳超とのことで、小型の哺乳類《ほにゅう》の寿命は短い。千葉市動物公園で一番びっくりしたのはフクロテナガザルである。大きな声を上げながら長い手で、オリンピックの鉄棒の選手をはるかに上回るテクニックとスピードで、パイプの間を飛び回るさまは見ていて飽きない。本人（本猿？）たちも楽しそうだ。それで歳をとったらどうなるのかしら。

八景島の水族館は他の水族館と同様にイルカショーが人気のようだが、私はどうもイルカショーを見た後は何となく物寂しくなるので、あまり見たくない。「おもしろうてやがて悲しき鵜舟哉」という芭蕉《ばしょう》の句があるが、ショーが終わって去ってゆくイルカたちの背中は心なしか寂しそうで、本当は大海原で自由に泳ぎたいと思っているのかな、と想像して切ない気持ちになる。イルカがどう思っているのかは知らない。

蒙古の馬ではなくて蒙古野馬

それで、女房と久しぶりに行った多摩動物公園である。老人割引でお一人様入場料は300円、正門前の駐車代金が500円、締めて1100円である。金がない老人が1日遊ぶにはもってこいだ。平日とあって園内はガラガラで、老人ばかりかと思っていたら、子供を連れたお母さんや、さらにはお父さんも結構いる。休暇を取って子供のために来ているのだろうか。それとも、私みたいにほぼ自由業なのかしら。身なりがきれいなのでリストラされている訳じゃなさそうだ。テレビのロケと違って女房と二人で来るのは気ままで良い。

敷地面積は広大で上野動物園の4倍近く60ヘクタールもある。ズーラシアも広いが、多摩動物公園は全体が山の斜面を造成して造られているため、坂がきつく老人にはちょっとこたえる。あと何年自力で歩けることやらと思いつつ、歳をとった動物たちを眺めている。南側のアジア園の一部が造成中で、園内を走るシャトルバスの運行経路が制限されているが、初めてだからと乗ってみる。老人優先ということだが、乗っているのは私たち夫婦だけだ。結構な急坂を登って行って、モウコノウマの飼育場の前が終点である。

バスを降りると小さな蛾がいっぱい飛んでいる。クロスジフユエダシャクだ。晩秋から初冬に出現する蛾で、オスは活発に飛び回るがメスは翅《はね》が退化していて飛べない。フェロモンでオスを惹《ひ》きつけて交尾をする。所謂《いわゆる》フユシャクの一種である。沢山飛んでいるのだが、なかなか止まってくれないので、写真に撮るのに苦労する。メスもどこかに隠れているはずだが、動物園に来て動物を見ないで、フユシャクのメスを探して時間を潰《つぶ》すのは酔狂なことこの上ないし、何といっても女房と一緒なので、メスの探索は諦《あきら》めて、モウコノウマを見る。

モウコノウマは蒙古《もうこ》の馬ではなくて蒙古野馬で、つい最近まではシマウマと同じように野生種だと考えられていたが、DNA解析の結果、約5500年前にカザフスタンで飼われていた家畜馬が野生化したものと分かり、現存する野生のウマはシマウマの3種（グレビーシマウマ、サバンナシマウマ、ヤマシマウマ）とノロバの3種（アフリカノロバ、アジアノロバ、キャン＝チベットノロバ）だけである。隣では家畜のウマが飼われており、動物園という雰囲気ではないが、ウマは目が可愛い。ウマは大きな図体《ずうたい》に似合わず、寿命が短く長くても40年だ。通常の競走馬はせいぜい30年くらいしか生きられない。ほとんどの競走馬は寿命を全うできずにレースに出られなくなると殺処分にされるという。それに比べれば、動物園で飼われている動物たちは多少は恵まれているのかもしれない。

オオカミの導入によるメリット

家畜のウマの反対側にはオオカミがいて、眼付が鋭くてなかなか怖い。オオカミを家畜化したのがイヌだということは分かっているが、セントバーナードやシェパードはともかく、チワワやプードルとオオカミが同じ種に属すると言われてもにわかに実感がわかない。ここのオオカミ舎で飼われていたメスのオオカミ2頭が２０１８年相次いで死んだという。12歳と11歳だという。オオカミの寿命も短いのだ。東京農工大の丸山直樹《まるやまなおき》名誉教授はシカの食害で日本の山林が荒廃していく現状を憂えて、日本オオカミ協会を立ち上げ、オオカミを日本の野山に復活させて、シカ害から林を守ろうとの運動をしているが、オオカミの鋭い目つきを見ていると、一般の理解はなかなか得られそうもない。

アメリカのイエローストーン国立公園ではオオカミが１９２０年代に絶滅した後、ワピチ（アメリカアカシカ）が増加しはじめ、植生に甚大な影響を与え、生物多様性も減少したため、１９９５年と96年にカナダからオオカミが再導入された。再導入にあたっては、当然ながら牧場主から強い反対があったが、導入派はオオカミによって家畜の被害がでた際に補償をするため、「オオカミ補償基金」を立ち上げて、導入を進めたところ、現在イエローストーン国立公園には約１００頭のオオカミが生息し、ワピチの数も抑えられて、生物多様性も回復基調にあるという。今のところ、オオカミが家畜を襲った例は少数に止《とど》まり、人を襲った例はなく（人がオオカミを殺した例はある）、導入はほぼ成功したと言ってよい。

このところ日本ではシカの食害がすさまじく、森林の下草や低木や若木を食べてしまうため、森林の乾燥化が進み、森林性の昆虫の数も激減している。人為的に駆除するには莫《ばく》大《だい》な金がかかるので、確かに、日本オオカミ協会の主張のように、オオカミの導入によるデメリットよりもメリットの方が大きそうだ。但《ただ》し、もし万一人を襲って殺すようなことが起きると、だれが責任を取るのだという話になるのは必定で、環境省は導入を渋っているようである。しかし、自動車を走らせれば、ある確率で必ず交通事故が起きて人は死ぬわけで、オオカミに襲われて死ぬ確率がごく小さければ、まあ仕方がないんじゃないだろうかと言えば、烈火のごとく怒る人がいるのだろうね。

日本に生息していたトキの野生個体群が絶滅した後、中国産の種を移入して、トキ復活を手放しで喜ぶ風潮をあおるマスコミも、オオカミ復活に関しては沈黙を守っているようである。中国のトキは外来種であるという意見に対して、環境省は種は同じなので外来種ではないと主張しているようだが、予算がついて環境省の利権が増えるというのが本音だろう。トキは人間に害を与えないので、一般の人の賛同を得やすいということもこの事業を推進できる大きな理由に違いない。しかし、生態系にとってトキが復活したところでさしたる影響を与えるとは思えないので、この面からは税金の無駄遣いである。税金は有効に使った方がいいと思うけれど、日本政府に意見しても聞く耳は持たないか。

オオカミも元来日本に生息していたわけで、今も生息していれば、稀《まれ》には人がオオカミに襲われる被害がでるであろうが、シカ害による森林の荒廃は防げたわけで、オオカミを絶滅させろという人は少数派に止まっていたに違いない。日本オオカミ協会は、絶滅したニホンオオカミは、北半球に広く分布するハイイロオオカミの亜種であり、トキの移入がOKでオオカミはNGというのは理屈が通らない、と主張しているようだが、一般の理解を得られるのには時間がかかりそうだ。

私もかつてはオオカミの再導入よりも、シカを捕獲して食べた方がいいと思っていたが、猟師は高齢化して少なくなり、人為的にシカ個体群をコントロールすることは難しいと思うようになった。まずは地域を限ってシカ害が激しい奥山にオオカミを試験的に導入してみたらどうだろうか。

多摩動物公園に来て見学した、最初の3種の解説で紙幅が尽きてしまった。続きは次回で。

多摩動物公園に行ってみた（2）

珍奇動物の見世物小屋

前回は多摩動物公園に行って最初に見た、3種の動物にまつわる話で終わってしまった。見た動物は他にも何種類もいるので、いちいち解説していると、紙幅がいくらあっても足りないので、後でおいおい考えるとして、まず動物園とはいったい何なんだろうという話から入りたい。

人間には異国の珍しい動植物を見たいという好奇心がある。昔であれば、衣食住が足りて多少余裕がある人々、すなわち王侯貴族や大商人にとっては、入手困難な異国の動植物を所有していることは、好奇心を満足させるのみならず、権力や、富の象徴でもあった。

中国・明《みん》の武将・鄭和《ていわ》は、中国から南海への7回の大航海を試み、珍しい異国の特産品を中国にもたらしたが、とりわけ有名なのは、第5次の航海（1417年～1419年）で、ライオン、ヒョウ、ダチョウ、シマウマ、キリンなどの生きた動物を連れ帰ったことである。

時の皇帝・永楽帝《えいらくてい》はキリンをことのほか気に入り、動物名を訊ねたところ、「これが伝説の麒麟《きりん》です」と答えたので、それ以降この動物をキリンと呼ぶようになったという話がある。中国では麒麟は神聖な想像上の動物（キリンビールのラベルを飾っている）で、オスを麒、メスを麟と呼ぶが、麒麟は実は実在した動物だったという話になったのであろう。

西洋でも、異国の珍しい動植物を集める趣味人は、もちろん古くから存在したであろうが、私的なコレクションで、一般に公開するといったものではなかったようだ。一般の人も見学できるようなタイプの動物園は18世紀後半に作られた神聖ローマ帝国の首都ウィーンのシェーンブルン動物園とされる。フランツ１世が皇后のマリア・テレジアのために１７５２年に小動物を集めて開設したが、一般に公開されたのは多少後になる。

フランスでは革命の後の１７９３年にパリの自然史博物館内にゾウ、キリン、シカ、鳥などが飼育展示されて一般にも公開された。この動物園の運営にはラマルクも関与したとされ、単なる見世物施設ではなく、研究のための施設でもあったようだ。

最初の近代的動物園は１８２８年にロンドン動物学協会が研究資料収集施設として設立

したロンドン動物園をもって嚆矢《こうし》とする。1847年に一般公開された。英語で動物園を意味するZooはZoological Gardenの略で、当初はロンドン動物園を指す固有名として使われた。ともかく、動物園の関係者としては、動物園は珍しい動物の単なる見世物小屋ではないぞという気概を示そうとしたわけだが、一般の人にとっては、動物園は昔も今も、珍奇動物の見世物小屋であることに変わりはない。だからいけない、と言っているわけではないが。

見世物小屋と言えばサーカスで、サーカスではしばしば動物がショーを盛り立てる生きた道具として使われるが、近年は動物虐待だという声が強くなったためか、余り過激な演技はなくなってきたようである。調教師が鞭《むち》でもってライオンを従わせるといったショーはそのうちなくなるかもしれないね。

動物虐待を告発する人々の基本的な立場は、野生動物は自然の中で生活するのが一番だということだろうが、これもケースバイケースで、人間の下で育てられ本来の生息環境を知らない動物は、もはや野生動物とは言えず、本来の生息環境に放したら、すぐに死んでしまうかもしれない。動物がサーカスでやりたくもない芸をさせられているのが動物虐待なら、サラリーマンが朝から部屋の中に閉じ込められてやりたくもない事務仕事をさせられているのだって、人間虐待に違いないよね。

コアラの餌代は年間1000万円以上

動物を飼うのにも大義名分が必要な面倒な世の中になった。珍しい野生動物は世界的にどんどん減少してきて、絶滅に瀕《ひん》しているものも多くなった（だから、珍しいんだけれどね）。そこで、動物園は珍しい動物を見世物にする大義名分として、絶滅危惧《きぐ》種の繁殖を手伝って、絶滅の淵《ふち》から救いましょうというキャンペーンを張るようになった。

多摩動物公園も例にもれず、トキやコウノトリの繁殖に力を入れている。コウノトリはかつては日本各地に普通に見られたが、岡山県で生息していたのを最後に絶滅し、現在では中国から移入した個体をもとに飼育下で繁殖させ、増殖した個体を野外（岡山県）に放鳥して、野外でも繁殖に成功するようになった。多摩動物公園は国内で初めて飼育下での繁殖に成功した動物園であり、現在約50羽の個体を飼育しており、この種に関しては最も飼育が上手な動物園である。

トキに関しても、多摩動物公園は飼育が上手で、２０１８年は8羽（４ペア）の飼育個体から8羽のひなが育っているようだ。トキやコウノトリを上手に繁殖させる腕利きの飼育員がいるのだろう。多摩動物公園では今のところトキは非公開だが、コウノトリは公開されている。しかし見学している人は多くなく、お世辞にも人気があるとは言えない。人気があるのは大きな動物やコアラやネコ科の動物だ。

多摩動物公園のコアラはかつては沢山いたが、現在は3頭しかいない。動物園で飼育されている珍獣たちは、近親交配の悪影響を避けるため、繁殖に参加させる個体を沢山の動物園参加の下で貸し借りして、元気な子孫を増やそうとしている。多摩動物公園でも最近コアラの数が減ったため、コアラを他の動物園から借りて（譲ってもらって？）、繁殖を試みているが、どうもうまくいかないようで、このままではコアラ舎は空っぽになりそうだ。

1984年にシドニーのタロンガ動物園から、鳴り物入りでコアラが来園して一大ブームを巻き起こしたのは、私の中ではまだ記憶に新しい。立派なコアラ館を建てて、広いユーカリの圃場《ほじょう》まで作ったのにコアラがいなくなっては大変だと、動物園では慌てているに違いないが、コアラは極めてデリケートな動物のようで、凄腕《すごうで》の飼育員がいないと上手く繁殖させるのは難しいのではないかと思う。他の動物園でもコアラの数は減ってきており、この20年の間に日本で飼育されている頭数は半減して約50頭になった。

ご存じのようにコアラはユーカリの葉を食べるのだが、その日の気分や体調によって、食べるユーカリの種類や葉っぱの状態が微妙に違い、ユーカリなら何でもいいというわけにはいかないらしい。多摩動物公園では常時8～9種類のユーカリの葉を用意して、好き嫌いの激しいコアラの食事に備えているという。気に入らないと、ハンガーストライキもするようで、食いたくないものは死んでも食わないみたいだ。

ユーカリの葉は市販されていないので、動物園の圃場で栽培しているだけでは足りない時は、契約農家で栽培したものをその都度、トラックで運んでくることもあるようで、コアラの餌代は年間1頭あたり2000万円もかかり、コアラ以外の動物の全餌代に匹敵するということだ。餌代がかかりすぎるので、全国の動物園の中には今いるコアラが死んだら、もう飼わないと決めているところもあるという。原産国のオーストラリアでは、生息地によっては増加傾向にあるようで、絶滅に瀕した動物を動物園で繁殖させるという大義名分を盾に飼育し続けるのは難しい。見世物としての人気がなくなったら、お払い箱になるかもしれないね。

本来の生息地とは

ネコ科の動物は人気者である。家ネコも人気だけれども、野生のネコ科の動物は小さい時は真《まこと》に愛らしく、長じては孤高の気品を漂わせていて、いつも卑屈にしか生きられない多くの人間にとって、羨《うらや》ましい存在なのだろう。もう15年近く前に、友人がこの動物園の飼育員をしていて、まだ子供のサーバルキャットの檻《おり》の中に入れてもらったことがある。動物園で生まれて人工保育で育ったということで、人間慣れしていて、見知らぬ人間が入ってきたので、新しい遊び相手と思ったのか、じゃれつかれて、買ったばかりのコンパクトデジカメを床に落としたことがあった。今は、サーバルキャットはチータの隣に展示されているが、その時の個体は生きていないだろうね。

隣の檻のチータは多摩動物公園ではユキヒョウと並ぶ人気動物で、いつも柵の前にはカメラマンがたむろしている。２０１８年10月に、五つ子の赤子が生まれたようで、お母さんは落ち着いて世話をしているとのことなので、もうしばらくすれば、お客さんの前にお目見えすると思う（これを書いているのは２０１８年11月）。チータは動物の中で最速というだけあって、ほれぼれするほど見事な肢体をしていているが、動物園の中では全速力で走ることはないので、ちょっと残念ではある。コアラなどに比べれば、飼育は比較的容易なようで、多摩動物公園でも繁殖率は高いみたいだ。

今一番人気はユキヒョウで一眼レフのカメラをぶら下げたおじさん連中が檻の前を占拠

していて一寸うっとうしい。２０１７年に生まれた子供がいて、動きが激しく見ていて飽きないのだろう。野生のユキヒョウならともかく、一日中檻の前に張り付いて、動物園のユキヒョウを撮影して何が楽しいのだろうと思うけれど、人それぞれだから、別に文句はない。ただ、私が見ている前に無理やり割り込んできて撮影するのは勘弁してもらいたい。

ユキヒョウの本来の生息地は、ヒマラヤ山脈、チベット高原からカラコルム山脈、パミール高原、天山《てんざん》山脈、アルタイ山脈を経てバイカル湖の西南端までの、標高６００メートルから６０００メートルの岩場、草原、潅木《かんぼく》帯である。動物園で生まれ、動物園で死んでゆくユキヒョウは本来の生息地を知らないはずだが、まれに雪が積もったりすると楽しそうに転げまわっているようだ。本来の生息地を知らないなんて可哀想ね、と話している人間だって、病院で生まれ、昼は大きな建物、夜は小さな建物の間を、電車や自動車で往復しているだけで、本来の生息地を知らないまま病院で死んでゆく、という点では変わりはないのにね。

ネキを採りに沖縄に行く

趣味と仕事の違い

定年後、何のかんのと忙しく、遠方に昆虫採集に行く暇がなかった。やっと少し時間が取れるようになって、5月5日から10日まで沖縄に虫採りに行ってきた。虫採りに限らず、何事も癖のようなもので、しばらく遠ざかっていると、いざ出陣となっても、なんだか億《おっ》劫《くう》になって、メンドクサイなという気分になる。もともと、何をするのもメンドクサイ質《たち》なのだが、現役の時は講義などの仕事は義務だったので、メンドクサクともやるしかなかったわけで、なるべく無駄なエネルギーを使わずに効率を優先するように心掛けた。仕事は時間をかければかけるほどうまくいくというものではないのだ。

日本の世間では、特に学校では、仕事の質《しつ》よりも一所懸命さを評価する風潮が強くて、生徒も先生も居残りや残業を厭《いと》わず、時間をかけて努力をする姿勢は貴いと評価され、手際よくさっさと仕事を済ませる人は、とっぽい奴だと言われて非難された挙句、余計な仕事を回されたりする。それで、賢い人はノルマをさっさと済ませ、後は一所懸命やっているふりをする。それが、周囲の嫉妬を回避する最も簡単な方法だと心得ているのだろう。教育という分野は成果がはっきりしないので、無闇に時間をかけても、一所懸命やっても、成果が上がらなければ無駄だ、という言説が通りにくい。

虫採りは全く反対で、どんなに一所懸命でも1頭も採れなければイモと言われて馬鹿にされ、いい加減にやっていても沢山採れれば、天才と褒められ、ついでに1頭下さいとねだられる。虫採り仲間の友人の中にも、ものすごく虫採りが上手い人もいれば、イモ代表のような人もいる（今や、私はどちらかというと後者に近い）。それでも、皆さん嬉々《きき》として虫採りに出かけるのは、虫が採れる採れないはともかく、虫採りという行為自体が楽しいからだろう。

もちろん、仕事が楽しい人もいるだろうが、それは仕事をすれば成果が上がったり、その結果、給料が上がったりするからだ。成果が上がらずに収入もどんどん下がって、それでも仕事が楽しい人はまずいないと思う。虫採りも沢山採れた方が楽しいには違いないが、採れなくても、鬱《うつ》になって落ち込むことはない。趣味と仕事の違いである。若い人の中には、趣味を仕事にできればどんなに楽しいことだろう、とのたまう人がいるが、勘違いをしているとしか思えない。趣味の虫採りはボウズでも楽しいが、生活が懸かっていたら、おまんまの食い上げになる。

まだ定職を持っている虫屋（虫採りの趣味人を仲間内で呼ぶ言葉）連中に聞くと、早く定年を迎えて虫取り三昧《ざんまい》の生活をしたいという人が多いが、定年になって数年もすると、虫採りが昔ほど、楽しく思えなくなったという人が結構いる。現役の時は仕事の合間に虫採りに行くので、楽しさが際立ったのだが、毎日いつでも虫採りに行ける身分になってみると、ワクワク感が減退することは仕方がないのであろう。それで、私も定年になって、虫採りに行くパトスが減衰したのかもしれないが、現役の時もそれほど真面目に仕事をしていたわけでもないので、単に歳をとって根性がなくなっただけなのかもしれない。

ネキ採集に必要な技術

それで、沖縄には、オキナワホソコバネカミキリのメスを採りたくて行ったのだ（オスは採ったことがあるのだ）。このカミキリは沖縄のやんばるの森にゴールデンウイークの前後にだけ出現する珍種で、２０１３年の5月5日に沖縄在住の玉城《たまき》康高《やすたか》君が採集するまで、その存在を知る人間は誰もいなかったのだ。ホソコバネカミキリ属（Necydalis、愛好家はネキと呼ぶ）はカミキリムシの中で最も人気のあるグループで、採集者が沢山訪れるやんばるの森で、なぜこの時まで見つからなかったのか不思議な気がするが、実はゴールデンウイークの頃の沖縄本島は、春もの（春出現）のカミキリと夏もののカミキリの端境期で、めぼしいカミキリムシはほとんどいないので、航空券も宿泊費も高いこの時期にわざわざカミキリムシを採りに行こうという酔狂な人はいなかったのだ。

多くのカミキリ屋は沖縄にもネキがいると思っていたに違いないが、だれもこの時期に出現するとは思っておらず、この時期に真面目に探す人はいなかったのである。というのは、屋久島《やくしま》に棲息《せいそく》するヤクシマホソコバネカミキリの出現期は7月中旬で、奄美大島《あまみおおしま》に棲息するアマミホソコバネカミキリの出現期は6月下旬～7月上旬で、奄美大島とさして気候が変らないやんばる（沖縄北部）では、早くとも6月上旬以降に出現するに違いないと私を含めた多くの虫屋たちは信じていたのである。

私は2010年～2011年にサバティカル（大学の研究休暇）で沖縄に滞在していたが、6月の中旬頃に、フエンチヂ岳の頂上で、何日間か新種のネキが飛んでくるのを信じて、立ちんぼをしていたことがあった。しかし、もちろんネキは飛来せず、飛んできたのは普通種のチョウや甲虫だけであった。フエンチヂ岳ではその後、ゴールデンウイークの頃にはネキが採れているので、私の考えもあながち的外れではなかったのだけれどね。

最初に採った玉城君はカミキリムシの採集を始めてまだ日が浅く、そういう先入観がなかったのが、快挙に繋《つな》がったのだろう。採ったのは、大きなメスで、私と松村雅史《まつむらまさふみ》君が玉城君の名を冠して新種（*Necydalis tamakii*）として記載した際にホロタイプ（種を代表するただ1頭の標本）に指定して、現在は琉球大学の博物館（風樹館）に収まっている。このメスはシバニッケイの花に来ていたというが、ネキの採りかたで最も一般的なのは飛んでいるのを採ることである。

発生木が分かっている場合は、この木の前で待っていれば、木から新成虫になって脱出してきたり、産卵や交尾のために飛んできたりするので、捕えることができるが、発生木が分からない場合は、偶然飛んでいるのを採るしか良い方法がない。ヤクシマホソコバネカミキリもアマミホソコバネもオキナワホソコバネもほとんどの個体は飛翔《ひしょう》中を捕えたものだ。飛翔中の個体はほとんどオスなので、メスは滅多に採れない。

オオホソコバネ、クロホソコバネ、ヒゲジロホソコバネ、トガリバホソコバネ、アイヌホソコバネ、オニホソコバネなどといった本土産のネキは、発生木あるいはその周りで採れることが多いので、オスもメスも同じくらいの数が採れる。唯一の例外はカラフトホソコバネカミキリで、オスは珍品で滅多に採れない。屋久島に棲息するオニホソコバネカミキリは発生木が分からないことが多く、飛んでいるのはほとんどオスでメスは大珍品である。

それで、屋久島、奄美、沖縄などの南の島のネキを採集するためには、飛んできそうなポイントで網を構えていつ来るかわからない獲物を待つことになる。こういう虫採りは、努力すれば採れるというものではなく、運と腕が必要である。経験や勘は飛んできそうな場所の選定くらいにしか役に立たない。立ち枯れの産卵木を探して採るオオホソコバネやヒゲジロホソコバネの場合は、沢山飛んでくる木かどうかの判断には経験と勘が必要だが、飛んできて木に止まっているネキを採るのに、大した技術はいらない。

しかし、飛んでいるネキを採るには動体視力、瞬発力、捕虫網を捌《さば》く技術などが必要で、年寄りが捕えるのは容易ではない。日本産ネキの中でも最珍品のヤクシマホソコバネカミキリを最も沢山採った、ネキ採りの名人・伊藤正雄《いとうまさお》君は20メートルも先を飛んでいるネキが見えるという。体長が2～3センチのハチに擬態したカミキリである。普通の人はネキが飛んでいても、小さい虫が飛んでいるということくらいしか分からない。

私も若い時は、10メートル上方の椎《しい》の花に止まって交尾をしているケズネチビトラカミキリ（体長5ミリくらい）が見えたくらいの視力（3・5くらいはあったと思う）の持ち主だったのだが、今では目の前にネキが来るまで気が付かず、気が付いた時には網を振る間もなく飛び去っている場合が大半で、これでは沖縄に行っても無駄かもしれないなあ、と思いつつやってきたのである。

ネキより頻繁に飛んでいた米軍の飛行機

4月から入って採集している人に聞くと、今年の発生のピークは例年よりかなり早く、4月下旬だったという。それでもまだいないわけはないだろうというわけで、数年前にやっと1オスだけ採ったポイントに行ってみた。原生林を見下ろす尾根筋で、飛んでいるのはキオビエダシャク（日本産エダシャク中の最美麗種であるが、イヌマキの大害虫であるため、嫌われている。珍種であれば、蒐集《しゅうしゅう》家垂涎《すいぜん》の種として、蛾屋の憧《あこが》れになったろうに）ばかりで、ネキはおろか、カミキリムシは全く飛んでいない。1メス採れれば御の字だと思ってきたのだが、これでは目撃すら難しいかもしれないと、最初から諦め気味である。

結局3日間ポイントに通って目撃したのは2頭だけ、そのうちの1頭はふり逃がした。

同じ場所でちゃんと採った人もいるのだから、やっぱりイモだな。歳はとりたくないとしみじみ思うが、生きているだけでもめっけもんか、とネキより頻繁に飛んでいた米軍の飛行機を見ながら呟《つぶや》くしかなかった。

ところで、オキナワホソコバネカミキリはいったいいつからやんばるの森に棲息していたのだろうか。沖縄が大陸から切り離されたのは約２００万年前と推定されているので、オキナワホソコバネ（あるいはその祖先種）はこの頃から沖縄に棲息していたのだろう。沖縄本島から見つかった最も古いホモ・サピエンスの化石（山下洞人）は3万２０００年前で、米軍の飛行機が沖縄の空を飛び始めてからは高々70年少ししかたっていないことを思えば、悠久の年月だと思うが、基地やソーラーパネルを造ることにしか興味がない人たちには、馬の耳に念仏か。

２０１９年7月に、『もうすぐいなくなります──絶滅の生物学』と題する本を新潮社から出版したが、人類とネキとどちらが先に絶滅するかと問われれば、人類が絶滅した後もオキナワホソコバネカミキリはやんばるの森を飛んでいる方に賭けたいな。もちろんその頃は、ネキあるいはやんばるという言葉を理解する主体はどこにもおらず、世界はずっと平和になっていることだろう。

生物の進化パターンは予測可能か

グールドが主張した悲運多数死

『生命の歴史は繰り返すのか？』（ジョナサン・B・ロソス著、化学同人）を読んで、少し思うところがあるので、今回はそのことを書いてみたい。進化は偶然の産物なのか、それともある程度予測が可能なのかという悩ましい問題があって、ほとんどの生物学者は、カンブリア紀にさかのぼって生命の歴史をやり直しても、まったく同じ軌跡を辿《たど》ることはあり得ないだろうと考えていると思われる。

ただ進化は偶然だと考える論者にも多少のあるいは大いなる温度差があって、一番過激なのは2002年に亡くなった古生物学者のスティーヴン・J・グールドで、ベストセラー『ワンダフル・ライフ』で、カンブリア紀の動物の異質性は史上最大で、非運多数死を生き延びて、その後の動物たちの祖先になれたか、ならなかったかは単に偶然にすぎず、歴史をやり直せば、まったく異なる動物たちが進化しただろうと述べている。

異質性というグールドの用語は、高次分類群の多様性のことで、グールドはカンブリア紀には動物の門の数は100くらいあり、異質性が極めて高かったと主張した。ちなみに生物のヒエラルキー分類に従えば、分類群は高次から低次に、主なものだけを挙げれば、ドメイン、界、門、綱、目、科、属、種となる。例えばHomo sapiensは、真核生物（ドメイン）、動物界、脊索《せきさく》動物門、哺乳綱、霊長目、ヒト科、Homo（ヒト属）Homo sapiens（ヒト、種）となる。

多様性ではなく、わざわざ異質性というコトバを使ったのは、門といったような生物の大きな枠組みは、新しく生じることがなく、一度絶滅すると復活しないとグールドが考えたからだ。一方、種は分岐していくつかの種に分かれたり、二つの種が交差して新しい種が出来たり、時には絶滅したりと、栄枯盛衰を繰り返すことが普通だ。低次分類群の多様性は増えたり減ったりするのである。それに対して、高次分類群の多様性は減るばかりで、これに対しては別のコトバを当てた方がいいというグールドの考えは首肯できないこともない。

グールドが非運多数死という考えを固める基になった根拠は、カンブリア紀のバージェス頁岩《けつがん》の化石である。今は、ケンブリッジ大学の教授職に収まっているサイモン・コンウエイ＝モリスは、若き頃、バージェス頁岩の化石を研究して、現在の動物の形とは全く異なる動物たちが生存していたことを明らかにした。アノマロカリス、ハルキゲニア、オパビニアといった奇妙奇天烈《きてれつ》な動物の復元図を見た人も多いだろう。

グールドはこういった動物たちの多くは、現在の生物とは異なる門に属していたと主張したのだ。もちろん現在の生物と同じ門に所属する動物（例えば、ピカイアは原始的な脊索動物と考えられている）も多く、そうなると、門の数は現在の動物界の37門（分類学者の見解により多少前後する）よりはるかに多いことになる。たまたま絶滅した門はもはや復活せず、例えば、脊索動物の祖先種が運悪く絶滅したとすると、ヒトは現れなかったに違いない。グールドが過激だったのは、多くの場合、絶滅するかどうかは自然選択（すなわち環境に適応できなかった種は絶滅して、適応した種だけが生き延びた）の結果ではなく、運次第だと主張したことにある。

これに対し、バージェス頁岩の化石を実際に研究したコンウェイ＝モリスは、グールドの門の数の見積もりは大げさで、実際にはカンブリア紀の門の数と現在のそれは、ほぼ同じくらいだったのではないかと主張した。そうだとすると、カンブリア紀に出現した沢山の門の非運多数死ということはあり得ない話になる。それどころか、コンウェイ＝モリスは、進化をやり直しても、進化プロセスは繰り返すので、ほぼ同じような生物が出現するはずだと主張して、グールドの考えに真っ向から反対したのだ。

進化は予測可能か

冒頭に紹介したロソスの本の帯には「進化は偶然か、それとも必然か」と記されているが、時間が一方向にしか流れない現実世界では、この二者択一の問いは意味をなさない。「進化は予測可能か、それとも不可能か」という問いならば、答えようがある。1億年後にどんな動物が地球上を闊歩《かっぽ》しているかといった問いには、ペテン師以外の誰もが答えられない。進化が必然だとしても、進化の法則が分からない限り、どんな新奇な生物が出現するかの予測は不可能だからだ。

しかし、同じ遺伝子組成の生物を異なる複数の環境に放してしばらくたつと、この生物が環境の違いに応じて、どのように変化するかを予測することはできるかもしれない。過去の例を調べて、変化パターンに共通性があれば、同じように変化する可能性は高いだろう。もしそうであれば、局所的、短期的な進化は繰り返す場合があると言えるだろう。

ロソスの本には収斂《しゅうれん》の例が沢山出てくる。収斂（生態学的収斂）とは同じような環境に暮らす系統の異なる動物たちが同じような形になることだ。旧大陸の有胎盤類とオーストラリア大陸の有袋類の収斂はよく知られている。オオカミとフクロオオカミ、ネコとフクロネコなど、枚挙に暇《いとま》がないが、カンガルーによく似た有胎盤類の動物は旧大陸の草原にはいない。同じようなニッチに進出して、同じような形になって環境に適応しようとする動物もいれば、まったく違うやり方で、適応しようとする動物もいるということだ。同じようなやり方で、解決している動物たちを見る限り、局所的な進化は繰り返すように見えるが、それは可能なやり方の一つを選択しているだけで、必ずしもそれ以外のやり方がないわけではないことがわかる。解決の仕方に何らかのパターンがあることは、それが不可避であることを意味しない。

ロソスの本で一番面白かったのは、局所的、短期的な進化が反復するかどうかの、実験を伴った議論である。トリニダードの渓流に棲息するグッピーの体色は、そこに棲息する捕食者の存在と強く相関していた。強力な捕食者のいる渓流ではグッピーはオスもメスも極めて地味だが、捕食圧の高くない渓流ではオスは大変派手な体色になる。理由は単純で、目立つ派手なグッピーは捕食者に見つかりやすく、真っ先に食べられてしまうため、地味な個体ばかり生き残る。一方、メスのグッピーは派手なオスを好み、捕食圧が弱ければ、オスはどんどん派手になる。

これを検証するための実験が面白い。野外から採取したグッピーを全部一緒にしてしばらく飼育してから、200匹ずつランダムに選んで、実験室に設置した同じ条件のいくつかの人工渓流の区画に放流し、その後で、ある区画には捕食者を放し、別の区画には捕食者を入れないでおく。捕食者が入れられた人工渓流のグッピーの体色は世代を繰り返すごとにどんどん地味になるが、捕食者がいない区画のオスの体色はどんどん派手になっていったのだ。

というわけで、自然選択の結果適応的な形質を持ったグッピーは生き残り、非適応的なグッピーは淘汰《とうた》されるというネオダーウィニストが喜びそうな結果が導かれ、個体群の遺伝的な条件や環境条件が同じならば、局所的、短期的な進化は繰り返す場合がある。しかしそうでない場合もあって、フラスコの中の大腸菌の実験では、今までの実験結果からは予測できない新形質が現れることもあるという。本来の意味での進化は新しい種や新しい形質の出現ということだから、本当の進化は予測不能なのである。そもそも予測可能な出来事は進化ではないのだ。

人類が再び出現する確率

コンウェイ＝モリスは『進化の運命』の中で、進化をやり直してもほぼ同じようなプロセスを辿り、したがって人類の出現も不可避な出来事だと主張している。生物が取り得る形質の安定点はあらかじめ決まっていて、何回繰り返しても結局はこの安定点に収斂してしまうという考えは面白いが、長期的な進化では、この考えは当てはまらない。確かにある枠組み（例えば硬骨魚類）の中では、安定点は大まかには決まっているかもしれないが、進化の途中で別の枠組みに進化してしまえば（例えば、硬骨魚類から四足動物）、安定点はその時点で新しく出来るのである。

恐らく硬骨魚類から両生類への進化は予測不能で繰り返すことはないので、あらかじめ決まっている安定点への収斂という概念装置では説明できない。可能な選択肢はいくつかあって、その一つが両生類への進化だったのだろう。この時点まで歴史を戻すとして、別の可能な選択肢を選んでしまえば、また別の局面に入ってしまい、進化が繰り返すことは不可能だ。

生物の進化の歴史上、こういったクリティカルな分岐点は無数とは言わないまでも非常に多数あったことは、間違いない。とすれば、進化の歴史を戻したとして、人類が再び出現する確率はほぼゼロに近いだろう。自然選択は常に働いているので、グールドの言うように非運多数死はすべて運次第というのも間違っていると思うが、生物の長期的な進化が繰り返すというコンウェイ＝モリスの主張も間違っていると思う。ロソスの本の結論は、短期的な進化はある程度予測できるが、長期的な予測は不可能だ、という穏当なもので、そういう意味では真っ当な本である。

外来種は悪者なのか

思い込んだら百年目

『外来種は本当に悪者か？　新しい野生　THE NEW WILD』（フレッド・ピアス著、藤井留美訳、草思社）と題する本を読んだ。日本では外来種というだけで、悪の権化のように言われているが、事情は外国でもさして変わらないようだ。著者のピアスは様々な具体的な事例を引いて、外来種というだけで忌み嫌う風潮を批判している。私は、10年以上前から外来種というだけで、闇雲に排除しようとする風潮を外来種排斥原理主義といって批判してきたが（『外来生物辞典』池田清彦監修、DECO編、東京書籍、あるいは『底抜けブラックバス大騒動』池田清彦著、つり人社）、基本的に私と同じ考えの著書が翻訳され日本語で発行されるのは嬉《うれ》しい。

ピアスの本は具体的な事例を沢山収録してあり、さらに生態系がスタティックなシステムでないことを述べている点でとても良い参考書であるが、理論的かつ包括的な観点から生物多様性並びに外来種問題について考えたい人は私が２０１２年に出版した『生物多様性を考える』（中公選書）も合わせて読んでいただきたい。

アマゾンの売り上げランキングを見るとピアスの本はかなり売れているようだが、生物多様性の専門家と称する人も含め、外来種は排除すべきだという教義に頭を占拠されている人の考えは変わらないだろう。「思い込んだら百年目」というのは、どうやら、大多数の人間の脳に染み付いた性《さが》のようで、人類滅亡の日まで改善されることはないのでしょうね。

唯一の救いは、自然は人間の思い込み通りにはならないことだ。ブラックバスは外来種だから１匹残らず殲滅《せんめつ》しようといくら頑張っても、ブラックバスは排除できないだろう。少なからぬお金と労力と時間を使って、結局ブラックバスは排除できないと分かって、やっと、ブラックバス殲滅運動は収まるのだろうね。なんて愚かなのだろうと思う。断言してもよいが、人類が滅びても、ブラックバスは日本の湖沼を元気で泳いでいるに違いない。自然は、人間が思い通りにコントロールできるほど、やわではないのである。

イネは「侵略的外来生物」

ピアスの本は南大西洋のアセンション島の記述から始まる。アセンション島は約100万年前に大西洋の海底から出現した絶海の孤島である。人類がこの島と関わりを持つ前は、海岸沿いはアオウミガメと海鳥の天国であったが、植物はトウダイグサ科の固有種が海岸に生えている以外は、コケとシダしか生えていない荒涼とした地であったという。この島を緑の楽園にしようと構想したのは1843年に島を訪れたジョセフ・フッカーであるという。ダーウィンの友人で著名な植物学者であったフッカーは、この島の緑化計画を実行すべく、南アフリカの国立植物園や、自身が園長をしていたロンドンのキュー・ガーデンから沢山の植物を導入した。

特に相性が良かったのは、タケやウチワサボテンの一種で、10年も経たないうちに、はげ山は鬱蒼《うっそう》とした雲霧林に変わり、グリーン山と呼ばれるようになった。山頂が859メートルのグリーン山は、いまでは標高600メートルを超えたあたりから約300種の種子植物が豊かに育っている。もちろんすべて外来種だ。外来種の導入前はコケとシダしか生えていなかったのだから、植物の種多様性は著しく増大したわけだ。それでも、頑迷な外来種排斥原理主義者はグリーン山の外来植物を排除せよと主張するかもしれない。ピアスは言う。「外来種を『抑制と根絶』しようものなら、固有種のシダも含めて絶滅する在来種が出てくることは明らかだ」。かつては、丸裸の山腹に張り付いていた固有種のシダは今では外来種の苔《こけ》むした枝にしか見られないという。

同じような事例はグリーン山のような極端な場所でなくともみられる。例えば、日本の固有種であるクロサワヘリグロハナカミキリの幼虫は、かつてはキハダという植物を食べていたが、今では外来植物のハリエンジュをも食べるようになった。キハダのみを食べていた頃、このカミキリは大珍品であったが、ハリエンジュを食べるようになって普通種になった。ハリエンジュは全国の河川の河原にはびこっている優占種であるため、食料が爆発的に増えたためである。ハリエンジュを排除したら、このカミキリは激減してしまうだろう。尤《もっと》も、ハリエンジュを人為的に排除することは不可能だと思われるので、クロサワヘリグロハナカミキリもさしあたっては安泰である。

もっと極端な例は、オオフサモと2種のサルゾウムシの関係である。クロホシクチブトサルゾウムシとヤマトクチブトサルゾウムシは、環境省によって、「特定外来生物」に指定されているオオフサモのみを食草とし、現在のところほかの食草は見つかっていない。この2種のサルゾウムシはオオフサモの導入以前に記録があり、日本の在来種と推定されるが、元来何を食べていたかはわかっていない。現在は完全にオオフサモに依存している。オオフサモを除去したら、絶滅するだろう。

2500年前に日本列島に導入されたイネは、日本の低地生態系を徹底的に改変した「侵略的外来生物」であるが、そのおかげで、日本列島の人口は激増したに違いない。人間にとってのイネは、先に挙げた2種のサルゾウにとってのオオフサモと同じである。外来種排斥原理主義の主張を徹底すると、外来種のイネも排除対象になってしまうため、この人たちは、畑で栽培されている作物は外来種と言わないのだ（外来種の定義から外れるので排除しなくていいという理屈である）、といった自分たちの主張に都合がいい定義を捏《ねつ》造《ぞう》しているが、畑で栽培している外来作物を排除してしまったら、生活が成り立たないのでそのように言わざるを得ないのだ。2種のサルゾウムシもまたオオフサモを排除してしまったら、生活が成り立たないので、在来種の生活を支えているものはたとえ人為的に持ち込まれたものでも、外来種と言わない、と定義し直してくれ。言葉が喋《しゃべ》れたら、そう主張するだろうね。

外来生物排斥主義者の無根拠な言い分

外来種排斥原理主義者に限らず、ナイーヴな自然保護論者は残り少なくなった自然生態系を人為的な介入からなるべく守りたいと思っているのだろうが、そう思っているのは、自然保護論者の脳であって、生態系の成員たる生物たちはそんなことは露ほども思ってない。故に、外来種排斥原理主義は、本人たちはそう思っていないだろうが、人間中心主義の一形態なのである。人は人間中心主義を排除したら生きていけないのだから、それはそれで、よろしいのだけれど、問題は外来種排斥原理主義を擁護する超越的な根拠も論理的な根拠もまったく存在しないところにある。

外来種排斥原理主義者がよく言う言葉に、「永い時間をかけて種・亜種分化してきた自然の営みを、人為的に変革してしまうのは許されない」というものがあるが、現在の地球上に人間が介入していない生物の営みなどはないのだ。現在の地球上に人跡未踏な地はないとピアスは言う。ならば、人為込みの生物多様性の保全を考えなければ仕方がない。

アセンション島は、昔のままのコケとシダしか生えていないはげ山であった方がいいのか。それとも外来植物で覆われた緑の島の方が好ましいのか。頑迷な外来種排斥原理主義者以外の多くの人は、たとえ外来種であっても緑の島の方がいいと思うだろう。ましてや、在来のコケやシダが外来種によって絶滅していないのであれば、なおさらである。ピアスは、外来種は悪者ではなく、むしろ生態系の種多様性を増大させるプラス面の方が大きいと主張する。

例えば、日本には最近、アカボシゴマダラとホソオチョウという2種の外来種のチョウが人為的に導入されたが、これによって絶滅したチョウはいないので、種の多様性が増大したことは確かである。手つかずの自然を守ろうとしても無理だ。むしろ、外来種の活力と侵略本能を活《い》かして自然の再生を目指すべきだとのピアスの考えは、頑迷な保全論者には受け入れられないだろうが、謙虚に現実を見つめれば、首肯できる主張である。

原題の『THE NEW WILD』というのは人為的であれ、自然災害であれ、生態系の環境変化にしぶとく適応して生き残って、繁栄していく生物種たちの活力を示す標語である。この「新しい野生」で中心的な役割を果たすのは外来種である。環境が激変したとき、在来種は多少なりとも新しい環境に非適応的になるが、その環境に適した外来種が入ってくれば、生態系は活力を取り戻すというごく当たり前の考えだ。

私はかねがね、生物は同じ場所に住みながら環境変化に受動的に適応するというよりも、自分にとって最も生きやすい環境に進出することによって適応という現象が起きるのだ(能動的適応)と主張してきた。能動的適応を加速させるためには、人為的に様々な種を放した方がいいという主張は、結構ワクワクするね。日本の外来種排斥原理主義者たちがどんな反論をするか見ものだね。私が『生物多様性を考える』を出版したときのように、論理的な反論ができずに、ひたすら無視を決め込むのかもしれないが、ベストセラーになって無視できなくなったらどうするのでしょうかね。

ピアスの本の中に「野生生物の天国、チェルノブイリ」という項があり、人間が撤退したチェルノブイリでは、野生動物が放射能をものともせず、繁栄を謳歌《おうか》している様子が書かれている。生物たちのしたたかさは感動的だ。

V　短絡的正義がもたらすもの

遅きに失した国際捕鯨委員会脱退

捕鯨は儲かる商売ではなくなった

２０１８年の暮れも押し迫った頃、日本がＩＷＣ（国際捕鯨委員会）を脱退するとのニュースが飛び込んできた。ＩＷＣは１９４６年12月、ワシントンで国際捕鯨取締条約が採択され、48年に発効したのに伴い設立された国際機関である。１９４９年に第1回の会合を開いたのを皮切りに、委員会の本会議は毎年開かれ（２０１２年からは隔年開催）、国際捕鯨取締条約に基づき、鯨資源の保存と捕鯨産業の秩序ある発展のために、加盟国に様々な勧告をすることができる。日本は１９５１年に加盟した。

しかし、設立後しばらくしてから、捕鯨から撤退する加盟国が出はじめ、ＩＷＣは捕鯨産業の秩序ある発展という当初の目的から徐々に逸脱して、最近では国際捕鯨禁止委員会と名付けた方がいいような機関になってきた。20世紀中葉までには、アメリカ、オーストラリア、イギリス、オランダなどが相次いで捕鯨からの撤退を表明して、反捕鯨国に宗旨替えをし、それに呼応して反捕鯨を標榜《ひょうぼう》する加盟国が増加したのが大きな理由である。

アメリカ、オーストラリアなどが捕鯨から撤退した表向きの理由は、鯨資源の保全あるいは希少種の保護といったものであったろうが、実際は、捕鯨の採算が取れなくなったからだ。これらの国は鯨肉を食べるためではなく、油を採るために捕鯨をしていたわけで、鯨資源の減少に加え、化石由来の油が安価で供給されるようになり、捕鯨は儲《もう》かる商売ではなくなったのである。日本では1950年代から70年代にかけて、鯨肉は重要なタンパク源であったため、捕鯨は採算が取れる産業であり、捕獲規制をしようとする反捕鯨国とIWCの会議で抗争することになった。

しかし、IWCに加盟する反捕鯨国は増え続け、1982年に「商業捕鯨モラトリアム＝商業捕鯨一時停止」が採択された（一時停止とは名ばかりで実質的にはほぼ永久停止である）。日本は「科学的正当性」を審議するIWC科学委員会の審理を経ていないとして、この採択は無効であると頑張ったが、紆余《うよ》曲折を経て、このモラトリアムを受け入れる代わりの「調査捕鯨」を行うことで妥協をして、1988年に商業捕鯨から撤退した。

捕鯨国に友好的だったカナダは、自国内の先住民・イヌイットの捕鯨をIWCの許諾とは独立に行いたかったという理由からか、あるいはＩＷＣの非科学的な議論がばかばかしくなったのか、モラトリアムが採択された１９８２年にＩＷＣをとっとと脱退してしまった。カナダは京都議定書からも２０１１年に正式に脱退しており、国際的なペテンに引っかからない真《まこと》に賢い国である。日本も、１９８２年にカナダと歩調を合わせて非科学的なＩＷＣから脱退すればよかったものを、今頃になって脱退するとは、世界情勢を見るに真に鈍である。

捕鯨禁止のポピュリズム

すでにあちこちで書いているように、最も環境に負荷をかけない食料調達の方法は、野生の動植物を持続可能な方法で利用することだ。従って鯨の資源量を調査して、持続可能な範囲で捕鯨を行うことは真に合理的なのである。もちろん、野生動物を持続可能な範囲で利用するためには合理的なルールが必要だ。もともとＩＷＣはそのための機関であったはずだ。例えば、南半球（主に南氷洋）のクロミンククジラはＩＷＣによれば少なくとも50万頭を超えており、多少捕獲しても資源が減少する懸念はない。従ってＩＷＣの商業捕鯨モラトリアムは非科学的だという日本の主張は、そこだけを見る限り真に尤《もっと》もである。

しかし、後述するように話はそう簡単ではないのだ。

日本の鯨肉の消費量は１９６０年代の半ばまでは多い年で年間20万トンを超えたが、60年代後半から徐々に減り始め、ＩＷＣが商業捕鯨モラトリアムを採択した１９８２年前後には5万トン弱まで落ち、１９８８年に商業捕鯨を中止して以来、数千トンの水準で推移している。鯨肉を日常的に食べる人がほとんどいなくなって、５０００トンくらいの鯨肉が備蓄されている。商業捕鯨を再開しても鯨肉の消費が増える見込みは薄い。商売としては成り立たないと思う。

ＩＷＣに参加していれば「調査捕鯨」という名目で税金をつぎ込むことはそれなりに理屈が通るが、商業捕鯨に補助金を注ぎ込むというのは筋が通らない。それにもかかわらず、政府は捕鯨対策として２０１９年の予算に51億円を計上したとのことだ。政府自ら、補助金なしには商業捕鯨は成り立たないことを認めているようなものだ。ＩＷＣを脱退して商業捕鯨を再開しても経済的なメリットは全くない。それではなぜＩＷＣを脱退したのだろうか。

ＩＷＣは本来の目的を逸脱して、単に捕鯨を禁止するだけの機関に成り下がったというのは表向きの理由であり、これは首肯できる。しかし、これもまた後述するように日本国内には「種の保存法」という名の希少な野生動植物を保全するための法律があるが、この法律も本来の目的を逸脱して、科学的な根拠もなしに単に採集を禁止するだけの悪法に成り下がってしまったのだから、日本政府がＩＷＣを非科学的だと非難するのはダブルスタンダードなのである。

ＩＷＣの脱退を推進した二階《にかい》自民党幹事長の選挙区の中に、捕鯨の町として知られる太地町《たいじちょう》があり、地元に対する政治的配慮が働いたというのが、一番尤もらしい理由であろうが、国際社会に対する政治的な配慮は働かなかったようだ。わずか半世紀前まで、捕鯨を行っていたアメリカ、イギリス、オーストラリアなどの諸国は、捕鯨が産業として成り立たなくなってしまえば、「捕鯨禁止」を掲げた方が、政治的には有利である。「鯨を殺すのは可哀そうだ」という声は、鯨を食べない人や、捕鯨で生活していない人にとっては、まことに心地よく響く。大衆民主主義社会では、この手のポピュリズムは避けがたい。

いつの日か、人工肉が、牛肉や豚肉よりはるかに安価で美味になり、今行われているような牧畜業が産業として成り立たなくなれば、「生きた牛を殺して食うとはなんと野蛮なんだ」という美辞麗句で世界は覆われるに決まっている。そういう社会で、牛は沢山いるのだから、持続可能な範囲で利用しても良いではないかという正論は、政治的には真に不利になる。今、ＩＷＣ脱退で日本が世界に発信しているメッセージは、まさにこの手の正論で、捕鯨をめぐる世界の趨勢《すうせい》を見るに、世界の大半となった反捕鯨国の一般大衆の動物愛護という情緒を逆なでする決定であることは間違いない。

自らの正義だけを言い立てる日本政府

いくら論理的に説明しても、情緒で頭を侵されている一般大衆を説得することは不可能だ。日本は野蛮だという風評を覆すことは難しい。ましてや、鯨愛護という情緒に肩入れしているのが国家権力であるとすると、捕鯨という正義を標榜する国は、政治的、経済的に相当なデメリットを覚悟しなければならないだろう。もちろん、日本国内向けには、不条理な条約を押し付ける国際社会に敢然と立ち向かって、正義を貫いた日本というメッセージは、「日本すごい」という妄想に取り憑《つ》かれているネトウヨやそのフォロワーたちの幼稚なヒロイズムを満足させるかもしれないし、これらの支持層を頼りにしている安倍《あべ》政権の支持率アップに多少は貢献するかもしれない。しかし経済力、国力といった意味での実益は全くない。

本項の冒頭に記したように、まだ経済大国であった頃に脱退すれば、国際社会に与える影響もかなりあり、捕鯨国を組織して新しい国際機関を作ることも可能であったろうが、ここまで国力が下がってから、尻《しり》をまくって脱退しても、負け犬の遠吠《とおぼ》えに過ぎない。ちなみに日本の一人当たりのGDPは2000年には世界第2位であったが、この5年間くらいは20位以下に低迷している。日本はここの所、韓国の元徴用工裁判でも、ゴーンの裁判でも、自らの正義だけを言い立てる、夜郎自大が目立ってきた。国外に仮想敵を作って、憲法を改悪して戦争ができる国になったところで、国民の生活は向上しない。

ところで、日本はIWCで主張しているように、科学的調査に基づいて持続可能な範囲で採取しても問題ないという立場を常にとっているかというと、そんなことは全くなく、国内の野生動物保護では、科学的調査などは全く行わずに、多くの昆虫を採集禁止や養殖禁止にして、さらには標本の譲渡も禁止して分類学的調査を妨害しているのだから、私のような昆虫愛好家からしたら、IWCよりはるかに悪質である。オキナワマルバネクワガタやヨナグニマルバネクワガタやヤンバルテナガコガネなどは、養殖技術が確立されているので、養殖をして増やして市場に流通させれば、密猟もなくなるし、種の絶滅確率も極めて小さくなるのに、採集も養殖も譲渡もダメで、生息地の環境破壊だけは進んでいくというのではいずれ絶滅は免れないだろう。

なぜそうなるかというと、「虫を採集するのは可哀そう」という情緒は昆虫採集に何の利害関係もない圧倒的多数の人たちにいとも簡単に受け入れられやすく、環境省は自然保護に熱心だというプロパガンダができるからだ。辺野古《へのこ》に基地を造るために、サンゴ礁を破壊する大浦湾の埋め立てに異議を申し立てない環境省が自然保護に熱心だというのは笑止だけれどね。

日本がいくらＩＷＣは科学的でなく無茶苦茶な決定をすると息巻いても、日本政府は日本国内ではＩＷＣと選ぶところがなく、国内のマイノリティに対し、同じことをやっているわけだから、衆寡敵せず、圧倒的な反捕鯨の国際世論の前には蟷螂《とうろう》の斧《おの》で、努力と金は水泡に帰すというくらい分かりそうなものだけれどね。

未来展望なき虚勢による日本の衰退

1世紀前なら戦争

ここのところの日本の政治状況を見ていると、様々な局面でヒステリックになって、ほどほど、いい加減、ダマシダマシ、適当に、といった大人の知恵を喪失して、自らの正義のみを言い立てる不寛容さが目立ってきた。IWC（国際捕鯨委員会）の脱退然《しか》り、元徴用工裁判や火器管制用レーダーの照射問題も然り。アメリカやロシアには恐ろしくて盾つくことはできないが、IWCや韓国の不正義に対しては、声を限りに言い立てて、日本すごいという幼稚な自己満足に浸っている安倍やそのフォロワーたちは、日本の近未来を正視することが、きっと恐ろしくてできないのだろう。

IWC脱退問題や、韓国の元徴用工の裁判については、論理的に考えれば、日本の主張の方がどちらかというと筋が通っていると思うけれど、国際政治は自らの正義を言い立てて、相手を言い負かしても、物事は解決しないばかりか、かえってややこしくなることの方が多いのである。そのことを分からないで、意地を通そうとすると、少し前の時代だと、たいていは戦争になって、碌《ろく》なことにならなかったのは、歴史が我々に教える教訓である。

国と国の間の意見の齟齬《そご》や利害の対立は、個人間のそれらとは位相が異なるのだ。例えば、個人と個人が対立すれば、裁判を起こして決着を図れる。日本のように、裁判所が実質的には政権の隷属機関に過ぎないということはあるにしても、最高裁の判断には強制執行力があり、これには従わざるを得ないわけで、負けた方は諦《あきら》めるほかはない。しかし、現在の国際的な政治システムでは、国家より上位の強制執行力のある審級はない。制度的には国家間の紛争を解決する「国際司法裁判所」があるが、これは強制執行力がある機関ではない。

結局、国と国が意地を張り合うと、先に書いたように1世紀前だと戦争ということになるが、現在は多少大きな国同士が戦争をする事態になることは、よほど為政者がアホでない限りあり得ない。負けたらもちろんのこと、勝っても得なことはほとんどない。大企業はほぼ多国籍企業で、戦争やそこまでいかなくとも国交断絶という事態になると、人や物や金の行き来が不自由になり商売が成り立たなくなるからだ。

国交断絶にはならなくても、近隣の諸国と感情的な対立が激しくなれば、互いに経済的な損失も大きくなる。日本が、韓国や中国は理不尽なので制裁をすると息巻いても、これらの国と日本は経済的には持ちつ持たれつの関係なので、資本や人の行き来が少なくなれば、日本も中・韓も得をすることは何もない。例えば日本の観光業は韓国人と中国人で何とか息をついているので、これらの2国からの観光客が来なくなったら、あっという間につぶれて、景気はかなり悪化するだろう。1年間に日本を訪れる外国人観光客はほぼ3000万人。その4分の3は韓国、中国、台湾、香港からの人たちだ。韓国と中国は特に多く、2018年には中国838万人、韓国754万人で、併せて1600万人近くに上る。日本に来る外国人観光客の半分を占める。

大阪の心斎橋《しんさいばし》などに行ってみれば分かるが、この界隈は韓国人と中国人の方が日本人より多いくらいである。ちなみに2017年に大阪府を訪れた外国人客は1100万人、消費額は1兆1731億円とのこと。その半分が韓国と中国からの観光客だとして、これらに人が落とした金は単純計算で6000億円近い。周知のように大阪市の吉村《よしむら》市長は、サンフランシスコに建っている慰安婦像の撤去をサンフランシスコ市が拒否したことに腹を立て、サンフランシスコ市と大阪市の姉妹都市を解消すると一方的に通告して、韓国バッシングに余念がないが、韓国人観光客が来なければ、大阪の繁華街は火が消えたようになるということは、考えたことがないようだ。事実を直視できず、虚勢を張ることしかできない無能な政治家の典型である。

真の意味での国力とは何か

中・韓の観光客が増えたということは、これらの国が裕福になったということでもある。どんどん墜《お》ちてゆく日本と、どんどん上昇してゆく中・韓そして台湾。日本の一人当たりの名目ＧＤＰは、２０１７年度は世界で25位、香港は15位、韓国は29位、台湾は36位、中国は74位である。もうしばらくすれば、韓国や台湾に抜かれるだろう。今まだ少し余裕のあるうちに、東アジアの国と友好関係を結ばないで、日本すごいという妄想に耽《ふけ》っているだけでは、そのうちだれも相手にしてくれなくなると思う。

外交の安倍とか言って、日本国内向けには御用マスコミを使って、いかにも上手く立ち回っているかのごとく宣伝しているが、よその国にお金を貢いで歓心を買っているだけで、各国首脳が集まって、歓談をしている写真などを見ると、完全に蚊帳《かや》の外だということがよく分かる。安倍政権が成長戦略の柱として推進してきた原発輸出は、アメリカ、ベトナム、台湾、リトアニア、トルコ、イギリスとことごとく失敗しており、計画推進に税金を使っただけという真に無残な結果に終わった。世界が汎用《はんよう》型のＡＩの開発にしのぎを削っている中で、原発などといった時代遅れの技術にしがみついていては、世界の科学技術の発展から取り残されて、益々《ますます》貧乏国になっていくだろう。

エネルギー資源も鉱物資源もない日本にあるのは人的資源だけだ。人口が減れば、日本の風土は農業には向いているので、国民が食うだけならばなんとかなると思うが、科学技術を発展させなければ、先進国の仲間から脱落していくだろう。今はまだ、科学技術立国日本の余韻が多少残っているが、国民の科学リテラシーの向上と、トップ科学技術者の養成に力を入れなければ、日本は東アジアの中においてすら、他国の後塵《こうじん》を拝することになりかねない。

数十年先のことを考えれば、日本が世界の中で、ある程度の繁栄を維持するためには、東アジアの近隣諸国と密接な関係を保つ東アジア共同体を構築して、アメリカ、ＥＵ、ロシアと政治的、経済的な均衡を築くほかはない。その時に東アジア共同体の指導的な立場に立てるかどうかは、真の意味での国力があるか否かにかかっている。国力とは、最終的には科学技術力を含めた国民の知的リテラシーの総体のことだ。

そのために重要なのは教育への投資である。２０１５年の統計によれば、日本はＧＤＰのうち小学校から大学までの教育機関に対する公的支出の割合が、ＯＥＣＤ（経済協力開発機構）加盟国34か国の中で最低であった。ＯＥＣＤ加盟国の平均は４・２パーセント。日本は２・９パーセントだった。最も高かったのはノルウェーの６・３パーセント、以下フィンランド、ベルギー、スウェーデン、イスラエル、ニュージーランド、オーストリア、フランス、カナダ、イギリスが平均値超えで、イタリア、ドイツ、アメリカ、韓国、オーストラリアなどは平均値以下だが、３パーセント以下の国は日本だけだった。

日本は教育や科学技術に投資するやり方が近視眼的で、将来の発展についての展望が全くなく、それが科学技術が衰退している大きな原因である。例えば、高等教育についていえば、２００４年に国立大学が法人化されて以来、日本の学術論文数は主要国の中では、ただ独り右肩下がりで減少している。国立大学の運営交付金が毎年１パーセントずつ削減された。教官の事務量が増大した。研究費の傾斜配分を行って研究費をわずかしかもらえない研究者が増えた。これらが主たる原因であることは間違いないが、その根底にあるのは、最小のコストで最大の成果を上げろ、という株式会社と同じ発想である。

効率重視がイノベーションの芽を摘む

株式会社でコストパフォーマンスを上げるには、人員を削減して、少ない従業員を沢山働かせればよい。仕事がルーティンワークならば、労働時間と成果は比例するかもしれない。しかし、科学研究はルーティンワークではないので、働いた時間と成果は比例しない。運営交付金を削減して、効率重視の政策を教育や研究に持ち込むと、お金を削減した以上のデメリットが生じてくる。

前にも述べたが、役に立ちそうな研究には手厚くお金を支給して、役に立ちそうもない研究には金をやらないという傾斜配分は、一見よさそうに見えるが、文科省の役人や研究費の支給を審査する学会のボスが、役に立ちそうだと考える研究テーマは、ほとんどの場合、さして画期的な研究にはならないことが多いのだ。真に新しい研究は既存の学者には理解できないことが普通で、審査などせずに、研究費を広く薄くばらまいた方が、画期的な研究成果が生まれる確率は高くなる。今の制度だと、お金をもらいたい研究者は、文科省や審査員に気に入られんがために、申請書類の作成に知恵を絞ることになり、研究に割く時間が減って、本末転倒になる。

傾斜配分は、研究費を差配する文科省にとっては権力の源泉なので、研究者を下に見て嬉《うれ》しいことこの上ないのであろうが、科学技術の振興にとって最悪の制度である。研究は研究者がするのであって、文科省の役人がするわけではない。さらに、短期間で成果を出せという効率主義は、あらかじめ首尾よくいく研究に主力を注ぐことになって、結果的に、現在は海のものとも山のものともつかないが、将来的には大きなイノベーションを起こすかもしれない研究の芽をつぶすことになりやすい。

とにかく日本は税金の使い方にも、対外的な交渉にも長期的な展望がなく、その場限りの受け狙いの政策が多く、あたら税金を湯水のように使って、後進国を目指しているかのようだ。国立大学の授業料をタダにしても、年間３０００億円の税金を使うだけで済む。アメリカから何兆円ものお金をかけて戦闘機を買うより、はるかに将来の国力は上がるはずだ。日本のエスタブリッシュメントは国民の知力が上がって、自分たちのアホさ加減がばれてしまうのが怖くて、国民を馬鹿のままにする制度を維持したいのかもしれない。これでは日本が潰《つぶ》れるのは時間の問題だ。

優しくていい人ばかりの国は亡びる

変わり者を許容しない社会

少し前に『同調圧力にだまされない変わり者が社会を変える。』(大和書房、2015)と題する本を書いたが、最近、世間一般の風潮から外れるのを嫌がる傾向がさらに激しくなって、これは社会がクラッシュに向かう兆候なのではないかと危惧している。画一的な義務教育と高校教育の結果、目立った行動はマイナス評価に繋《つな》がるというイデオロギーをたたき込まれてしまったのだろうか。他人と違ったことをやる人が現れないと、科学も経済も社会も国家も衰退を免れないのだけれども、目立つ人の足を引っ張って、みんなで仲良く下降したいのだろうか。

大学の入学式や卒業式も、みな同じようなスーツを着て羊の群れみたいだ。強制されているわけでもないのに、ほとんどすべての人が自主的に目立つことをしたくないというのは、余り良好な社会とは言い難い。昔はもう少しいい加減な学生が多かったような気がする。私自身は自分が入学した大学の入学式にも卒業式にも出なかったけれども（卒業式はそもそもなかった）、昔はそういう学生も結構いた。

早稲田大学は少なくとも私が勤めていた頃はいい加減な大学で（もちろんこれは誉め言葉だ）、私は入学式にはほとんど出席しなかった。見たこともない新入生の前に座っているのは苦痛だったからだ。反対に、卒業式はサバティカルで沖縄に滞在していた時以外は皆勤である。私と一緒に写真を撮りたいであろうゼミの学生諸君は、私が出席しないとがっかりすると思ったからだ（単なる私の思い込みかもしれないけれど）。

かつて、儀式に魅せられた人類といった記事がネイチャー誌に載っていたような気がするが、ダンバー数（お互いに相手と親密な関係を築ける上限。約150人くらいだと言われている）を超えた人数の集団を統制するのに儀式は有効な手段だったのだろう。みんなでそろって同じことをする（同じ行動や同じ歌を歌う）と脳内麻薬が分泌されて陶酔状態に陥り易くなるに違いない。

昔から権力者（特に独裁者）が儀式を好んだ所以である。しかし、変わり者を許容しない社会はシステムが硬直化して、状況が変化しても修正が効かず、多くの場合クラッシュして終わりになる。ファシズム下のドイツやイタリア、15年戦争下の日本など、枚挙に暇《いとま》がない。この伝で行けば、今の北朝鮮も遠からずクラッシュを起こして崩壊するであろう。北朝鮮化が進む日本も他人事ではないと思う。

成人式もひと昔前まではよく荒れて、来賓が怒って祝辞も述べずに帰ってしまったなんてことがあったが、今はそういう話を聞かないところをみると、最近は随分おとなしくなったのだろうか。はっきり言って、成人式で羽目を外す若者が少しはいる社会の方が、活力があって未来に希望が持てる。国民を奴隷にしたい権力者にとっては、都合がいい社会になりつつあるけれども、国力はじり貧になる。この傾向は諸外国に比べ日本で特に顕著である。

国際基督教大学の学生部長の加藤恵津子《かとうえつこ》さんが新入生の99パーセント以上が黒スーツと白シャツだったと呆《あき》れていたが、入学式ばかりでなく、今世紀に入る頃から、就活をする学生諸君の服装は黒のリクルートスーツ一色になってしまった。その頃を境に日本の国力は急下降し始めたが、これは単なる相関ではなく、深い因果関係があるに違いないと、私は思っている。

短パンにゴム草履の天才

無理に奇抜な格好をしろとは言わないが、そういう人を排除しない社会の方が健全である。ソウルオリンピックの前後だったと思うが（とすると1988年前後か）、当時、まだ東大の教授だった村上陽一郎《むらかみよういちろう》をはじめ、黒崎政男《くろさきまさお》、山脇直司《やまわきなおし》、森岡正博《もりおかまさひろ》などが参加していた異分野横断的な研究会が定期的に東京で開かれていたことがあった。誰か面白い人はいないかということだったので、私が神戸大の助手になって間もなかった郡司《ぐんじ》幸夫《ゆきお》を推薦して、来てもらったことがある。

郡司幸夫は30歳になったばかりで、まだペギオというミドルネームを使っていなかったが（現在は郡司ペギオ幸夫と称している。私が聞いたところでは、男の子が生まれたらペギオという名前を付けようと思っていたが、女の子が生まれたのでペギオは自分のミドルネームにしたという話だった。それで女の子の名前は花子にしたという。不思議な人だ。大澤《おおさわ》真《ま》幸《さち》の話では単にペンギンが好きだったからということだが、真偽のほどは知らない）、既に天才のオーラが漂っていた。

暑い日で、短パンにゴム草履というかつてのヒッピーのようないでたちで現れた郡司は、数式を駆使した数理生命学の話題を矢継ぎ早の早口で話し、参加者の大半は理解不能だったと思う。話の内容はともかくとして、その格好で新幹線に乗ってきたのかと、私はちょっと呆れたが、当時、日本における科学哲学の第一人者と目されていた、バリッとしたスーツ姿の村上先生を目の前にして、短パン・ゴム草履姿で、滔々《とうとう》と自説を展開する郡司を見て、これは大物だわと舌を巻いたのを覚えている。

温厚な村上先生もさすがに気分を害されたような感じもしないわけでもなかったが、もとより、そんなことに気が付く能力を持たない天才郡司は、講演の後、みんなと和気藹々《あいあい》と酒を飲んで散会となった。その頃には、村上先生も他の参加者も、郡司幸夫の服装のことはどうでもいいような雰囲気になっていた。理論生命学の最先端を走り続ける郡司は、その後神戸大学の教授となり、現在は早稲田大学の教授である。短パン・ゴム草履姿で新幹線に乗るような奴は教授にしないという偏狭な社会であったならば、郡司の才能は埋もれてしまったかもしれない。

ネット上に溢れる匿名の悪口

制服というのは、奴隷養成の装置のようなものだと思っている私は、どんな服装でもいいじゃないかと思うが、奴隷になっていたほうが気が楽だという人が多い日本では、男子の制服はこれこれ、女子の制服はこれこれこれという慣例に従う義務はないという考えはなかなか広まらない。山梨大学に勤めていた頃、余りに暑い日はスカートを穿《は》いて通勤したら涼しかろうと思いついて、一応、女房の許可を取ってからにしようと話したところ、恥ずかしいからやめなさいと怒られて、私の素晴らしい計画はお釈迦《しゃか》になった。スカートを穿いて通勤してもクビにはならなかったと思うけれどね。今の山梨大学は相当イカレているみたいなので、今だったらクビになるかもしれないな。

東大教授の安冨歩《やすとみあゆみ》は女装をしているという。20年ほど前、鷲田《わしだ》清一《きよかず》などと一緒に研究会をやっていた頃はまだ男装をしていたが、５年前に女装をした方が気分がいいことに気づいたのだという。自分の中の女性性を抑圧していたことに気づき、女装をして、女性として扱われると不安が消えるのだという。素敵じゃないか。人はそれぞれなのだから、どんな服を着てもよろしいのである。

それで、思い出したのは、イギリスの学校で暑い日に男子生徒50人がスカートを穿いて登校して、「この暑いのに長ズボンを強制されるのは、アンフェアだ」と校則を変えるようにアピールした話だ。２０１７年のことである。学校側は折れて次年度から校則を変更することにしたという。恐らく、今の日本ではこういったことは決して起きないだろう。

そのことだけを考えても、日本が、国力の下降線を反転させることは難しいだろうと思わざるを得ない。

他人と異なることをするのを無闇と恐れる人の多くは、落ちこぼれたくないという恐れが、上昇したいという願望を抑えて、なるべく目立たない方がリスクが少ないと思っているのだろう。その反動で、リスクをとって目立っている人への羨望《せんぼう》とその裏返しとしての嫉妬《しっと》もものすごく強く、公の場では大勢の意見に従って、他人と同じ言動を取るが、裏では悪口を言って憂さを晴らす人が極めて多い。

先日、女房とさる有名な季節限定の有料公園に花見に行った。こんなちゃちな公園でこの入場料は高すぎだよと私は思い、「これはちょっとぼり過ぎだな」と大声で女房に話しかけ、彼女も同意していたが、聞き耳を立てていると、グループで来ている人たちの多くは、グループの誰か一人が素晴らしいと言うと、他の人たちも口々に同意して、反対意見を言う人はいないようであった。みんな優しいいい人たちなんだろうけれど、優しくていい人たちに占拠された国は、遠からず亡びるのだ、という歴史の教訓は書きつけておかなければならない。

現在の日本を見ていると、多くの人は多数意見（多くはマスコミによって作られた虚像）

に実名で反対することを忌避する傾向が強い反面、匿名の悪口はネット上に溢《あふ》れかえっている。欧米ではネットは匿名よりも実名の方が主流だという。最近欧米では、ネットの匿名性が抹殺されつつあるらしい。この流れはいずれ日本にも入ってくるだろう。そうなると、匿名のネット右翼やネット左翼は滅びるのだろうか。私は、匿名で意見を表明したことがなく、匿名で意見を表明する人の心性を心の底から軽蔑しているので、匿名の言説が減るのは健全な社会への第一歩だと思っているが、権力に迎合的な意見ばかりになって、滅亡への道をさらに加速するかもしれないな。

老人を無理やり働かせるのはやめよう

30年前から分かっていた破綻

年金の財源が破綻《はたん》することはもはや自明なので、政府は、近い将来、平均寿命が100歳になるといったウソ話を吹聴して、高齢者を働かせて、なるべく年金を支払わないで済むような制度を作ることを画策しているようだ。現行法では、企業は60歳から65歳までの希望者全員に雇用義務がある。企業の選択肢としては、1．定年延長、2．定年廃止、3．契約社員などでの再雇用、の三つがあるが、企業も義務というので、仕方なく政府の言うことを聞いているだけで、実は雇いたくない人もいるだろうし、雇用するにしてもなるべく安い給料で雇いたいだろう。働く方も年金が思うように出ないので、嫌々働いている人も多いと思う。企業が、高給を支払っても雇用したいという人はごく少数だろう。

私の多くの虫友達は、定年になって、自由時間が増えて、好きな時に好きなところに虫採りに行きたい、という人が大部分で、定年になっても、働きたいなんておかしな人はまずいない。年金がもらえないので働かざるを得ない人が大部分だ。余裕のある人は定年前にとっととやめて虫採りに専念している。そういえば『バカの壁』（新潮新書）の養老《ようろう》さんも定年前の57歳で東大教授を辞めてしまった。私は70歳の定年まで勤めたが、ほとんど自由業に近い勤務形態だったので、ストレスを感じなかっただけで、普通の人から見れば例外である。

いよいよ財源が逼迫《ひっぱく》することが目前に迫ってきたからか（国民年金と、厚生年金の財源を株を買い支えるために注ぎ込めば、そのうち破綻するわな）、65歳では足らず、70歳まで年金を支払わないようにするための布石として、上記した定年延長などの3項目に加え、4．他企業への再就職支援、5．フリーランスで働くための資金提供、6．起業支援、7．NPO活動などへの資金提供、の7項目を企業の努力義務とする法改正を行う方針だという。

最初は、努力義務でもしばらくすれば、努力が抜けて義務になるのは現行法を鑑《かんが》みれば大いにあり得るだろう。企業としては、本人が希望したからといって役立たずの老人を雇用するのは勘弁してもらいたいと思うだろうし、他企業への再就職支援といっても、そういう人を他の企業が雇ってくれるとは思えない。そうかといって、フリーランスで働きたい人に資金を提供しても、上手くいかなくて資金回収もままならなくなる恐れの方が強いだろうし、60代の後半になって起業する老人もそんなにいるとは思えない。ＮＰＯ活動への資金提供に至ってはほとんど絵に描いた餅《もち》だ。

年金の財源が破綻するのは30年も前から分かっていたわけで、今頃になって泥縄式に解決策を探っても、上手い方法があるわけがない。老人を雇用して働かそうといっても、今までのように、決められた仕事を正確にこなす、といったタイプの仕事はしばらくたてば不要になり、こういったタイプの働き方に適応している大部分の老人は、実は企業の戦力としては完全に不必要で、雇用すればお荷物になることは目に見えている。企業に負担をかける老人雇用義務より、少ない雇用人員で企業の効率化を進めて黒字を膨らませて、法人税率を値上げしてその金を年金の財源にする方が、企業も老人もハッピーになれる。

学校は最悪のブラック企業

そもそも、労働時間と労働場所を拘束して、一斉に働かせるようなやり方は、もはや時代遅れなのである。日本の労働生産性や国際競争力が急速に低下し始めたのは１９９０年代半ばである。この頃ＩＴ革命が勃発して、企業の経営スタイルが大きく変わっていった。

単純な労働はロボットがこなせるようになり、社員全員にコンピュータが支給され、労働場所に拘束されずに働けるようになった。

しかし多くの企業は従来通りの労働形態にしがみつき、定時に出社してオフィスや工場の中で、横並びで終業まで働くというやり方を変えようとしなかった。社員一体となって一生懸命働くという工業社会で成果を上げたやり方は、今や企業の業績にとってマイナス要因にしかならないのに、工業社会型の思考に縛られた多くの経営者は、企業に忠誠を誓わせ、上意下達を徹底しようとの方針から、抜け出ることができなかった。

その結果日本企業の業績は悪化し、国際競争力は加速度的に低下したにもかかわらず、経営者の多くは社員をもっと奴隷のように働かせれば、業績は回復するとの妄想から解放されることはなかった。かくして一部の企業は（もしかしたら大部分かしら）ブラック企業へと転落したのである。

多くの国民も、個性を発揮して会社の営業に貢献しようという考えよりも、言われた通りに一生懸命働けば、未来は開けるという従来型の思考パターンから抜け出ることができず、日本企業は、労使一体となって転落への道を進んだわけだ。国民がこういった思考パターンから抜けられないのは、すでにあちこちに書き散らしたように、教育の画一化の弊害である。ちなみに、工業社会型の組織形態をますます強めて、時代に逆行しているのは小学校、中学校、高等学校が最たるもので、今や大学もこの列に加わろうとしている。日本で、最悪のブラック企業は学校といっても過言ではない。

文部科学省は、国民が権力者の奴隷になるような教育を行うように、教育現場に指示を出すことに余念がない。世界標準から見たら完全に時代遅れの工業社会適応型の教育を推し進めている。上の命令をよく守り自分で考えようとしない国民は、権力者にとっては都合がいいが、ポスト工業社会（情報化社会）の企業では使い物にならないことは自明である。権力者は威張っていられて満足かもしれないが、国の経済力はじり貧になって、多くの国民の生活水準は凋落《ちょうらく》する。それは北朝鮮を見れば分かる。日本は北朝鮮化への道を驀《ばく》進《しん》しているとしか思えない。

最近になって、学校はブラック企業だという認識が広まってきたのであろう。２０１８年度の教員採用試験の倍率は過去最低に落ち込んだようだ。２０００年に12・5倍だったものが、２０１８年は3・2倍だったという。東京都に限れば、1・8倍だった。授業がない夏休みにも、学校に出てきて勤務時間が終わるまで拘束されるような無駄の極みのような職場に未来はないのは明らかで、向上心のある若者は、ここまでつまらなくなった先生という職業は選ばなくなるのは当然である。

いいアイデアは一見無駄と思えるときに閃く

職場にやってきて、熱意などあってもなくても勤務時間をよく守り、勤勉でありさえすれば、仕事の効率が上がるわけでもないのは当たり前で、イノベーションをもたらすアイデアは、場所も時間も選ばない。ポスト工業化社会では、単なる勤勉は評価されず、いかに面白いアイデアを出すかだけが勝負となる。

ＰＣＲ（Polymerase Chain Reaction：ポリメラーゼ連鎖反応）法を開発して、ＤＮＡの塩基配列の解析速度の向上に画期的な進展をもたらせて、１９９３年にノーベル化学賞を受賞したキャリー・マリスは、１９８３年に当時の彼女を乗せてハイウェイをドライブしていた時に、このアイデアを思い付いたという。

ＤＮＡの塩基配列の解析にはまず二本鎖のＤＮＡを高温で一本鎖にしなければならないが、その際、ＤＮＡを増幅して塩基配列を解析するのに必須の、ＤＮＡポリメラーゼが高温で壊れてしまうという難点があった。そこで、マリスはよく彼女とデートをしていたイエローストーン国立公園の間欠泉を思い出し、ここに棲息《せいそく》する好熱菌のＤＮＡポリメラーぜなら、高温でも壊れないだろうと閃《ひらめ》いたというわけだ。彼女とデートをする暇があったら仕事をしろといった工業化社会のスタンスでは、マリスのようなアイデアは生まれなかったであろう。

いいアイデアはオフィスの机に座っていたり、工場や実験室で働いていたりしている時よりも、一見無駄と思えるときに閃くものである。1981年にノーベル化学賞を受賞した福井《ふくい》謙一《けんいち》は「メモしないでも覚えているような思いつきは大したものではない。メモしないと忘れてしまうような着想こそが貴重なのです。」との名言を残しているが、この名言を実行すべく、枕元にも常に紙と鉛筆を用意していたという。いいアイデアはいつ閃くかわからないからだ。余談だが、この話を聞いた某東大教授は、「なぜ俺がノーベル賞を取れないかがわかったよ。枕元には紙しか置いてないものね」と言ったという。

ともあれ、ポスト工業化社会で成果を出すためには、表面に表れている態度や行動（コンプライアンスをよく守るとか、上司の指示を良く理解して実行するとか、無断欠勤が少ないとか）で社員を評価したり、管理したりしても無意味であって、勤務時間や勤務場所を拘束せずに、仕事のアウトプットの質だけで評価した方が企業の業績は上がるだろう。

会社に出勤しなくても会社に貢献できるとあらば、型破りだけれど、知的イノベーションを生み出す潜在力を持つ社員が集まってくるはずだ。私が勤務していた早稲田大学は私が勤めてしばらくたった頃、理工系の総長が、週に5日の出勤を義務付けるという校則を作ろうとしたことがあった。私を含めて多くの教員は猛反対をして、結局、勤務時間内は勤務に専念すること、但《ただ》し、講義（実習、ゼミ）以外の時はどこで勤務していてもよろしいということで決着した。それで、私は基本的に週に2日しか大学に行かずに、定年を迎えることができたわけだ。早稲田大学に勤務していた14年間に出版した単著は52冊。週5日も大学に行っていたら、52冊も本を出版できなかったろう。

加藤典洋『戦後入門』を読む

元同僚の死

集英社の季刊誌「kotoba」の２０１９年9月発売号で「新しい古典を探せ！」という特集を組むので、２０００年以降刊行された本で、50年後にも読み継がれているであろうものを2、3冊挙げてほしいとの依頼があり、加藤典洋《かとうのりひろ》『戦後入門』（ちくま新書、２０１５）と団《だん》まりな『細胞の意思〈自発性の源〉を見つめる』（ＮＨＫブックス、２００８）を推薦した。

団まりなの本は、構造主義生物学とも多少は関係するので、いずれ稿を改めて論じたい。ここでは加藤典洋の本について多少の偏見込みで論じてみたい。ご存じの方も多いと思うが、加藤典洋は２０１９年の5月16日に亡くなった。亡くなる2か月前に見舞いに行ったとき、根を詰めてcontroversial（論争の的になる）本（『9条入門』）を書いてストレスが溜まったのが、病気の原因だと思うと言い、これからは池田清彦みたいに軽く生きるつもりだ、と笑っていた。

もう少ししたら退院できそうだとのことで、見てくれは結構元気そうだったが、既に病はターニング・ポイントを超えていたのだろう。早稲田大学の同僚だったときは研究室が隣だったこともあって、早稲田の教授連の中では比較的懇意にしていたが、すごく親しいというわけでもなかった。病に倒れてからは、最近書き始めたという詩を見せてくれたり、病気の善後策を相談されたりして、メールでのやり取りが以前より頻繁になった。退院したら、志木《しき》（加藤さんの住んでいたところ）の家に、俺の持っている一番いい酒をもって遊びに行くよ、と言って、握手をして別れたのが最後になってしまった。加藤典洋と握手をしたのは後にも先にもこの時だけだ。握手なんかするもんじゃねえな。酒の方は加藤典洋亡き後、あっという間に飲み干してしまった。余談が長すぎたようだ。本論に入ろう。

戦後日本の非常に奇妙な状況

『戦後入門』は新書というにには余りにも分厚い本で、あとがきを含めると635ページになる。それでも元は1200枚あった原稿を3分の2に削ったのだという。大学の講義準備、雑務から解放されたので、これだけ大部の本が書けたといったようなことがあとがきに書いてある。加藤さんは定年まで数年残して辞めてしまったが、大学に勤務するのがストレスだったのだなと、改めて思う。いかにも真面目な加藤さんらしい。何事にも手を抜くことができない性分なのだ。『戦後入門』も全力投球の本で、大きく二つの主題を扱っている。一つは戦後の日本の非常に奇妙な状況（実質的にはアメリカの属国でありながら、一般国民は独立国であるという幻想を抱いている）がなぜ生じているかについての極めて説得力のある分析で、二つ目は、アメリカの属国を抜け出す方途についての提言である。

太平洋戦争に敗れた日本は米軍による占領を経て、表面的な見てくれは民主主義的な独立国になる訳だが、戦争中に鬼畜米英を叫んでいた政府に追従していた多くの国民は、B29による空襲や広島と長崎への原爆投下で、無辜《むこ》の日本国民を虐殺したアメリカに対して、さしたる憎しみを抱くことなく、あたかも自然災害であるかの如くこれをやり過ごして、涼しい顔をしているのはどうしてなのか、というのが、加藤典洋が戦後の日本に抱いた大いなる疑問だった。

B29による大規模な空襲も非人道的な虐殺であることに違いはないが、とりあえずこれは措《お》くとして、戦争末期、このままでも日本の敗戦は時間の問題であった時期に、広島と長崎への原爆投下は、勝敗に関係のない無意味な虐殺であったにもかかわらず、日本政府は原爆投下直後こそ、原爆投下は国際法違反だとの抗議声明を出したが、ＧＨＱに占領されて以来、公的な抗議をしておらず、アメリカもまたほおかぶりをして、公的な謝罪をしていない。不思議なことに被爆者も一般国民もまた、アメリカへの怒りを口にすることはほとんどなく、52年に広島市の平和公園に作られた原爆死没者慰霊碑には、「安らかに眠って下さい　過ちは繰り返しませぬから」と刻まれているだけである。あいまいな言葉で責任をうやむやにするのは、日本人の得意技とはいえ、原爆投下に関する限り、過ったのはアメリカに決まっているのにね。

３・１１の原発事故もそうであったが、余りにも大規模な人為的な被災に対して、日本人は怒りを感じない民族なのかもしれないと思いたくもなる。仮に今、アメリカがイスラム教徒の国と戦争を起こし、原爆を投下したと仮定してみよう。被爆国はアメリカへの報復を誓った人々で溢れ、大変な状況になるに違いない。戦争に負けた日本人のほとんどは、なぜアメリカへの報復の炎を滾《たぎ》らせることがないのだろうか。「日本すごい」といった妄想に耽っているネトウヨなどの疑似右翼も、口を開けば中韓の悪口ばかりで、アメリカの悪口を言わないのも不気味なほど不思議だ。

一つの答えは、長く続いた15年戦争の結果、多くの日本人は戦争疲れで疲弊しており、戦争が終わって内心ほっとしていたので、今更アメリカの原爆投下を非難しても始まらないという思いがあったのではないか。これは加藤も指摘している。それに、私見を付け加えれば、この戦争は元はと言えば、日本が仕掛けたものだという幾分後ろめたい気持ちもあったに違いない。

しかし、加藤の見立てでは、もっと大きな原因は、ある大きな力の下で、批判が封じ込まれたのではないかというものだ。加藤の論点を私なりにざっくり言うと、日本の降伏は本当は無条件降伏でなかったにもかかわらず、アメリカは原爆投下とセットで一切の文句を言わせない無条件降伏と言いなして、占領中は原爆の投下を含めて、アメリカへのあらゆる批判を封じ込めた。

日本が形式的な独立を遂げた後も、日米安保条約とそれに付随した日米地位協定により、実質的に日本を属国の地位に留《とど》めるとともに、経済的な成長を助けて、日本の不満が噴出しないように腐心した。この辺りの事情を説明するために加藤が提出した仮説は「戦後型の顕教・密教システム」で、この仮説は見事に日本の戦後の状況を言い当てていて、『戦後入門』の白眉《はくび》である。

加藤によれば、戦後型の顕教とは、日本と米国はよきパートナーで・日本は無条件降伏によって戦前とは違う価値観の上に立ち・しかも憲法9条によって平和主義の上に立脚しているとみる解釈、密教とは、日本は米国の従属下にあり・戦前と戦後はつながっており・しかも憲法9条のもと自衛隊と米軍基地を存置しているとみる解釈を意味する。

具体的には、国民全体に対しては、日本は平和主義の独立国家であるとの認識をゆきわたらせ、権力が国政を運用する秘訣《ひけつ》としては、対米従属の下、戦前と戦後はつながっているという政治的感覚はとりあえずカッコに入れて、自衛隊と米軍基地によって軍事的負担を減らして、もっぱら経済大国化を目指すという、ダブルスタンダードシステムこそが、日本の戦後を支えてきたというわけだ。

アメリカの属国から抜け出す方法

このシステムのおかげで、日本は経済大国になることができ、多くの国民は、日本がアメリカの属国であるという事実を忘れて、経済的繁栄を謳歌《おうか》することにより、民族的自尊心を満足させた、というのが20世紀の終わり頃までの日本の状況であった。しかし、ここに来て、このシステムを支えていた日本経済の繁栄は音を立てて瓦解《がかい》してきた。経済はドツボで、政治はアメリカに完全従属では、いったい、日本人の自尊心をどうやって保つのかという課題が喫緊の問題になってきた、というのが加藤の現状分析だ。

ネトウヨは中韓を叩いて、日本すごいとの自己満足に耽って、虚妄の自尊心を満足させているようだが、もちろんそれで、経済力が回復するというものではない。暫《しばら》くして、経済力も抜かれたら、さらにみじめになるだけである。ネトウヨの頭目の安倍は、元徴用工問題で日本の意のままにならない韓国に対して経済制裁をすると息巻いているが、自分の支持母体を喜ばすために、危険な政治的賭けをしていることに気づいているのだろうか。経済制裁をして、韓国がさして困らなかったら、日本の経済的地位はさらに下落する。日本の一人当たりの名目GDPは今や先進国の中でほぼ最低レベルで（2018年度は世界の26位、ちなみに韓国は28位、香港は17位）、これ以上、下落すると、開発途上国並みになってしまう。正確には凋落途中国だな。

民族的誇りを取り戻すためには、日米地位協定を廃棄してアメリカから独立する必要があるが、今の安倍にそんな勇気があるとは思えない。しかし、いくらマスコミをコントロールして安倍のパフォーマンスを宣伝しても、いずれ化けの皮は剝《は》がれる。支持母体の日本会議が標榜する「誇りある国づくり」と「対米従属」は水と油で相いれないからだ。加藤典洋の見立てのように、化けの皮の剝がれた安倍政権が続くと、日本会議の路線に沿って、対米独立を果たし、軍事大国の道を目指して世界の孤児になるか、あるいは徹底的にアメリカに従属して奴隷国家の道を選ぶかの選択を、いずれ迫られることになるだろう。前者の道は経済的な疲弊をもたらし、後者の道では国民の自尊心は全く満たされない。いずれにせよ国民が不幸になることには変わりはない。

そこで、加藤典洋の提案は、憲法9条を改正して、自衛隊の一部を国土防衛と災害救助に当て、残りの全戦力を国際連合待機軍として国連の指揮下に入れてしまうというものだ。これならば、米軍の基地を完全撤退しても、国際的には孤立しないはずであるし、日本人の自尊心も担保できるというわけだ。いかにも真面目な加藤典洋らしい提案だ。現実的でないと言って冷笑を浴びせる人が恐らくいっぱいいるだろう。しかし、革新的な提案は、どんなものでも最初は現実的ではないのだよ。

もしこの案が実現したら『戦後入門』は21世紀初頭の古典として、長く語り継がれるだろう。人は死んでも本は残る。

さよなら、加藤さん。ごきげんよう。

本書はメールマガジン「池田清彦のやせ我慢日記」2016年8月15日、2018年7月27日～2019年9月13日配信分を再構成のうえ、加筆・編集したものです。

池田清彦（いけだ・きよひこ）
1947年、東京生まれ。生物学者。早稲田大学名誉教授。構造主義生物学の立場から科学論・社会評論等の執筆も行う。カミキリムシの収集家としても知られる。著書は『ナマケモノに意義がある』『ほんとうの環境白書』『不思議な生き物』『オスは生きてるムダなのか』『生物にとって時間とは何か』『初歩から学ぶ生物学』『そこは自分で考えてくれ』『やがて消えゆく我が身なら』『真面目に生きると損をする』『正直者ばかりバカを見る』『いい加減くらいが丁度いい』『生物学ものしり帖』など多数。

本当《ほんとう》のことを言《い》ってはいけない

池田清彦《いけだきよひこ》

2020年 1 月 10 日　初版発行
2024年 10 月 25 日　9 版発行

◆◇◇

発行者　山下直久
発　行　株式会社KADOKAWA
〒102-8177　東京都千代田区富士見 2-13-3
電話　0570-002-301（ナビダイヤル）

装 丁 者　緒方修一（ラーフイン・ワークショップ）
ロゴデザイン　good design company
オビデザイン　Zapp!　白金正之
印 刷 所　株式会社KADOKAWA
製 本 所　株式会社KADOKAWA

角川新書

ISBN978-4-04-082311-9 C0295

●お問い合わせ
https://www.kadokawa.co.jp/（「お問い合わせ」へお進みください）
※内容によっては、お答えできない場合があります。
※サポートは日本国内のみとさせていただきます。
※Japanese text only